«MANUALES STUDIUM»

Volumen 4

Primera edición, México, 1956

Dirige
PEDRO FRANK DE ANDREA

Portada de ALBERTO BELTRÁN

Breve historia de la poesía mexicana

POR

FRANK DAUSTER

Universidad de Rutgers

EDICIONES
DE ANDREA

MÉXICO — 1956

PALABRAS DEL AUTOR

Responde este libro a una doble finalidad: llenar un vacío notable en la historia de las letras mexicanas, y manifestar mi firme creencia de que México goza de un auténtico y rico caudal poético. Se han realizado estudios parciales de tal o cual período, de este o aquel aspecto; sin embargo, falta la obra que presente una perspectiva completa de la poesía mexicana.

Tratar de estudiar el desarrollo de esa poesía, o encasillarla dentro de categorías, no es empresa fácil. Por su misma naturaleza la poesía es reacia a la explicación y a la categoría. He evitado, en lo posible, forzar la verdad de cada poeta y cada período; no obstante, ha sido necesario imponer cierto orden para dar así alguna idea de movimientos y corrientes sin los cuales no se entienden los motivos o propósitos que le dan forma concebida como ente dinámico. La poesía de Sor Juana, por ejemplo, se aprecia sin saber nada de Góngora ni gongorismos; pero ¡cuánto más se entiende si la vemos a la luz de la tradición barroca! El Gavilán es excelente poesía en sí, pero el lector no se da cuenta cabal de su importancia si desconoce la historia del corrido.

Quiero aclarar el empleo de asteriscos en el texto. Para señalar a autores fundamentales para el conocimiento de la poesía mexicana, he puesto dos asteriscos. Uno solo indica que el poeta es importante, pero no de la categoría de los primeros. He modificado este empleo en el último capítulo, a partir de los postmodernistas. Me pareció que distinguir

*entre poetas "grandes" y poetas excelentes sería peligroso,
por los pocos años que han transcurrido desde su aparición
hasta el momento en que escribo. Así que empleo solamente
un asterisco como indicación de los poetas más importantes
de las recientes promociones.*

*Manifiesto aquí mi hondo agradecimiento a los profe-
sores José Juan Arrom, de la Universidad de Yale, y José
Vázquez Amaral, de la Universidad de Rutgers, quienes me
proporcionaron valiosa ayuda e inspiración. Quiero reconocer además la deuda que tengo con las profesoras María
del Carmen Millán y Ana María Sánchez, y con Alfredo Car-
dona Peña, Alí Chumacero, Francisco González Guerrero y
Ernesto Mejía Sánchez, quienes leyeron el manuscrito y me
hicieron sugerencias que han aliviado mucho mi tarea. Manifiesto asimismo mi agradecimiento al personal de las Bibliotecas Sterling, de Yale, Rutgers y Olin, de la Universidad de Wesleyan, por su eficaz ayuda.*

Rutgers University.

FRANK DAUSTER

I

LA POESÍA PREHISPÁNICA

Hasta hace muy poco el estudio de la poesía prehispánica era casi imposible. Gracias al trabajo tesonero de un reducido grupo, existen ya excelentes traducciones de gran parte del cuerpo de la poesía indígena, además de la excelsa *Historia de la literatura náhuatl*, del padre Angel María Garibay K. Puesto que poco o nada nos ha llegado de los mayas, restringimos nuestro estudio a la producción poética de la altiplanicie. A cambio de esta ausencia de poesía maya, tenemos el *Chilaam Balaam* y el *Popol Vuh*, pero éstos, por estar en prosa, quedan fuera de los límites que nos hemos señalado. Gracias a que, apenas terminada la Conquista, algunos españoles aprendieron la lengua aborigen y a que parte de la población indígena aprendió el español, se logró salvar algo de la rica producción poética de aquellos pueblos.

Lo que sobrevive de la poesía azteca probablemente no sea anterior al año de 1430, más o menos; se cree que por aquella fecha los indios habían aprendido a conservar su obra en libros. Eran éstos unos códices, que servían de guía a las interpretaciones del especialista; anteriormente la poesía era oral, conservándose en la memoria. Se sospecha que, precisamente por los años de la Conquista, la escritura indígena empezaba a dar el paso de lo meramente pictórico hacia una escritura simbólica y hasta quizá fonética. En todo caso, los manuscritos que se conservan estarán basados en poemas compuestos durante el siglo anterior a la llegada de los españoles, con trozos mucho más antiguos transmitidos oralmente.

Los poetas desempeñaban una función oficial, estrechamente ligada a la religión, base fundamental de la vida del imperio azteca. Eran portavoces de la comunidad; su obra cantaba los problemas espirituales y los sentimientos del pueblo respecto a los dioses. Durante fiestas y ritos, figuraban en primer lugar la música, el canto y la danza. Explica este concepto colectivista la existencia de las escuelas de canto y baile de asistencia obligatoria para los niños de rango noble; asimismo aclara el elevado rango que parecen haber gozado los poetas.

A. CARACTERES DE LA POESÍA NÁHUATL

Gozaban los aztecas de una lengua extraordinariamente dotada para la poesía: concisa, flexible, rica en posibilidades metafóricas. Su estructura se presta para matizar la expresión. La poesía resultante comparte estas características. La riqueza expresiva aliada a la práctica de encerrar significados múltiples produce una poesía sutil, hermética, a veces hasta incomprensible. Bajo el contenido aparente suele haber otro simbólico; bajo éste, hay un tercero, esotérico y aliado al rito religioso. Surgieron así conceptos poéticos como el de la flor, que encierra la idea de lo fugaz de la vida y que a la vez representa la sangre vertida en el sacrificio ritual.

En yerba de primavera venimos a convertirnos:
llegan a reverdecer, llegan a abrir sus corolas nuestros co-
[razones,
es una flor nuestro cuerpo: da algunas flores y se seca.

(Vida efímera)

En la estrofa que acabamos de citar, hay dos posibles interpretaciones: una se refiere a la brevedad de la vida, y otra parece afirmar, tácitamente, que el hombre vive y muere para nutrir a los dioses. He aquí la razón del sacrificio ritual. Interesa saber que esta metáfora cundió hasta el punto de que la guerra sagrada, emprendida para recoger víctimas para el sacrificio, se llamaba "guerra florida".

El verso náhuatl era acentual; es decir, se ajustaba a la medida de acentos fuertes, aunque parece que esta métrica no era absoluta. Se empleaba la cesura, y el poeta tenía licencia para distorsionar la sintaxis y la estructura de la palabra para llenar la línea. Se empleaban ciertas palabras que parecen no tener significación concreta; la razón de este empleo no se sabe. Quizá la métrica estuviese basada en una combinación de acentos y sílabas, y estas palabras, con la práctica de la distorsión, sirviesen para llegar al número necesario de sílabas.

Compartía la poesía náhuatl ciertas técnicas características de la poesía primitiva: amontonamiento de imágenes en serie, paralelismo y empleo de estribillo. Además, el padre Garibay ha señalado una técnica aliada al paralelismo: lo que él llama difrasismo, o sea el empleo de metáforas paralelas pero distintas para expresar un contenido hermético. Así encontramos estos versos que quieren decir "la ley o norma": "la muestra, la vara de medir". O estos otros, que se refieren a la derrota de Tenochtitlán por los españoles: "Alzándose está el humo, tendida está la niebla".

Uno de los mayores atractivos de esta poesía es la imagen. Lo ha dicho el padre Garibay: "La piedra preciosa y el oro, juntamente con las bellas plumas de aves polícromas, son para la imaginación náhuatl el más alto ápice de la hermosura". Son constante en la poesía náhuatl; llegan a ser convención poética, a estilizarse como las serpientes del templo de Quetzalcóatl, no por estilizadas menos bellas. Piense el lector en lo expresivo de estos versos que comparan el final triste de lo más precioso, lo que más dura, con la fugacidad de la vida humana:

Aun el jade se rompe,
aun el oro se quiebra,
aun el plumaje del quetzal se rasga...
¡No se vive para siempre en la tierra:
sólo aquí un breve instante perduramos!

B. TEMÁTICA DE LA POESÍA NÁHUATL

Estuvo orientada la literatura azteca hacia un concepto religioso de la vida. Intimamente ligados a la teología —que para ellos significaba una cosmogonía, una manera de vivir, un concepto total de la existencia—, tanto la glorificación del héroe como el llanto por la vida que se acaba, y aun el loor de los dioses, se expresaban desde un punto de vista religioso.

Puede dividirse la poesía azteca en lírica, épica y dramática, aunque con mucho menos rigor de lo que suelen conllevar estas palabras cuando se refieren a una literatura más desarrollada. Todas, a pesar de distintos enfoques, reproducen actitudes vitales parecidas.

C. LA POESÍA LÍRICA

Hay que subrayar que, para los aztecas, la poesía representaba la expresión colectivista de actitudes comunes, de manera que no hubo ni lírica subjetiva ni concepto del individuo creador, tal como los conocemos en la sociedad moderna. Los cuatro rumbos de la lírica señalados por Garibay —el canto de flores, el de tristeza, el religioso y los poemas breves— comparten una expresión estilizada, casi impersonal, a pesar de su honda tristeza.

Claro está que la división de la lírica en estas cuatro sendas dista mucho de ser absoluta. Además del vocabulario poético y la manera expresiva a que aludimos, todos los poemas muestran un mismo tono grave y un mismo interés por la tristeza, lo fugaz de la vida, y el tema predilecto: la muerte.

Al canto de flores podría corresponder la poesía filosófica o metafísica. A pesar de su gravedad, ofrece una posibilidad de alivio: el hombre puede olvidarse de la muerte que le amenaza oculta en los goces terrestres. Consolación ésta que ha sido recurso de todos los hombres en todas las culturas. A continuación citamos un trozo de uno de estos poemas, donde se ve claramente la raíz amarga del júbilo.

... sólo acá en la tierra es do perduran las fragantes flores
y los cantos que son nuestra felicidad y nuestra gala.
¡Gozad, pues, de ellos!

(Canto de primavera)

Más desnudo era el canto de tristeza; no había alivio. La amargura de vivir y la muerte en acecho provocaron una poesía angustiada. Suele estar unida al recuerdo de los muertos. El poeta llora por los que desaparecieron, a sabiendas de que pronto irá a juntarse a ellos en la tierra misteriosa del más allá. Es curioso observar que, a pesar de las consolaciones, no aparece el concepto capaz de sugerir la posibilidad de una vida después de la muerte. Los desaparecidos existen en un vago mundo triste, morada de espíritus tristes.

En la lírica religiosa el tema de la muerte estaba ligado al del sacrificio humano y al de la guerra florida. Se cantaba a los guerreros, a los caballeros Aguila a y los caballeros Tigre, encargados de abastecer a los sacerdotes con víctimas para el sacrificio. Existen también himnos de tipo ritual dedicados a los dioses, que muestran las características más primitivas de la poesía. Así en cantos, probablemente de mayor antigüedad, como el "Canto de la Madre de Dios", vemos el contrapunto de variaciones sobre el tema de la flor amarilla ("Ah, la flor amarilla abrió su corola..."; "La flor amarilla floreció...") y la sencilla repetición del verso "...es ella nuestra madre, la pintada con divino muslo......".

Quedan muchos poemas brevísimos que, más que fragmentos, son entidades poéticas compuestas de una sola imagen o una sola emoción. Aunque tratan toda la gama de temas expuestos, figuran por separado debido a su forma especial. Entre estas maravillas de concisión están algunas de las mejores muestras de la lírica azteca. Las mejores suelen ser las que tratan la eterna angustia del hombre amenazado por la muerte:

Sólo venimos a dormir, sólo venimos a soñar:
No es verdad, no es verdad que venimos a vivir en la
[tierra.

(Vida efímera)

Sin embargo, aquellos poetas sabían también sentir el gozo de la vida y la amistad. A veces la sencillez de la emoción se aviene con las técnicas de reiteración y de la imagen concreta para crear verdaderas joyas del gozo de vivir; se deleitan ante "...la dorada mazorca...", "...la rubia mazorca tierna...".

Ni en las literaturas más desarrolladas se hallan tan palpitantes ejemplos de poesía sincera y verdadera.

D. LA POESÍA ÉPICA

De la épica han sobrevivido sólo algunos fragmentos. Si existieron poemas épicos largos, desaparecieron casi por completo. De lo que resta, podemos inferir la existencia de ciclos dedicados a Quetzalcóatl, a los mitos sagrados, a la fundación de Tenochtitlán y a las legendarias migraciones.

¿Cómo retuvieron los mexicanos estos largos poemas? Lo sabemos con certeza: los niños de los nobles a los diez años empezaban a aprenderlos de memoria, con ayuda de cuadros, representaciones pictóricas de la acción sobre la que versaba el poema.

Les ayudaba en esta tarea la calidad relativamente fija del metro épico: un verso de ocho sílabas con acento mayor sobre las impares. Aunque este metro no parece haber alcanzado absoluto predominio (como ya apuntamos, la métrica no fue regulada por completo), es el más común y el único que aparece repetidamente en todos los fragmentos que nos quedan.

Hablar de las características de la poesía épica náhuatl es difícil por la mezcla de géneros: trozos líricos alternan con otros narrativos, heroicos. Además, la poesía se bailaba y se cantaba, de modo que es casi imposible deslindar lo épico y lo dramático. Sin embargo, es posible precisar ciertos fragmentos que parecen más antiguos por su carácter puramente narrativo. Véase lo sencillo del trozo que sigue:

Y cuando hubieron consumido su mazorca correspondiente
vinieron a dar en la arena. Se oye: ya el agua va secando,
ya el agua no se mueve. Se abre el madero al momento.
Ya ven peces. Luego ponen leños al fuego, asan para sí
[pescados.

Compárese ahora con este otro trozo, del ciclo de Quetzalcóatl:

Le hizo primero un atavío de pluma de quetzal
que del hombro a la cintura le cruzaba.
Luego le hizo su máscara de turquesas,
y tomó color rojo, con el cual le enrojeció los labios,
tomó color amarillo, con el cual le hizo sus cuadretes en
[la frente,
luego le dibujó los dientes, cual si fueran de serpiente,
y le hizo su peluca y su barba de plumas azules
y de plumas de roja guacamaya, y se las ajustó muy bien
echándolas hacia atrás; y cuando estuvo hecho
todo aqueste aderezo, luego dió a Quetzalcóatl el espejo

Nótese el deleite por el detalle, el gozo sensual del color y la joya, más típicos de la lírica que de la épica.

E. LA POESÍA DRAMÁTICA

Al hablar de la poesía dramática náhuatl, hay que subrayar lo ya observado: como la poesía se bailaba y se cantaba, estos dos géneros aparecen muy confundidos. Además, la materia de estas rudimentarias representaciones teatrales solía ser épica precisamente: hechos legendarios e históricos; batallas y mitos.

Al igual que el teatro cristiano, el náhuatl tuvo sus orígenes en ceremonias religiosas. ¿Qué puede haber más teatral o más espectacular, que el desfile ritual del sacrificio con su música y su baile? Hasta ahora no sabemos que el teatro náhuatl dejara a un lado por completo esta etapa primaria, aunque es posible que los concursos de poetas incluyeran obras dramáticas en sus ofrecimientos a los nobles. En todo caso, los poemas dramáticos que todavía existen son casi por completo de orientación religioso heroica.

No faltaban obras de otra índole. Existía una sátira embrionaria, entremezclada con la farsa. Este humorismo consistía en la imitación de animales, mujeres y personas mutiladas o lisiadas; recursos, éstos, bastante comunes en el teatro primitivo. Tenían los aztecas también bailes "cosquillosos", al decir de los sacerdotes escandalizados. Serían bailes provocativos, o quizá, como induce a creer cierto fragmento citado por el padre Garibay, farsas a base de la vida de las mujeres "del partido", que gozaban de cierto rango social.

La técnica de este teatro era bastante sencilla. Más que unidades dramáticas, los varios poemas eran series de cuadros o escenas con canto y baile. A veces el cantor era uno; sin embargo, se puede ver en el fragmento que sigue que había diálogos, aunque el manuscrito no lleva indicación alguna de que el poema no fuera una entidad en sí:

> Vengo de Nonoalco, yo, Ihuequecholli,
> yo, el príncipe Mamalli.
> Estoy dolorido: mi rey se alejó:
> Ihuitimalli me ha dejado huérfano,
> a mí, Matlacxóchitl.
> Hendidas están las montañas: por esto lloro,
> se alzan las arenas de sílice, por esto lloro.

Aquí hablan dos personajes distintos. Ejemplos como éste abundan, de manera que no hay la menor duda de la existencia de un drama rudimentario. Tal drama no había avanzado gran cosa en el momento en que se produce la Conquista. De su escenario y representación muy poco sabemos. Sin embargo, el solo hecho de que existiera dicho teatro, sirve para demostrar la capacidad estética de los viejos guerreros de Anáhuac.

F. VALOR Y MEDIDA DE LA POESÍA NÁHUATL

Aun más difícil de precisar es el problema de valoración estética, por dos razones: por tratarse de traducciones y por habernos llegado sólo fragmentos de lo que un día existiera. En cuanto a la primera dificultad, afortunadamente contamos con las excelentes traducciones del padre Garibay. Por lo que respecta a la segunda, igualmente afortunados somos porque contamos con su magnífico estudio crítico.

La poesía indígena representa un auténtico caudal poético. Las líneas sencillas del poema, elaboradas con la sensual imagen plástica —flor, ave, joya—, penetradas de una inefable y sobria tristeza, constituyen verdaderas joyas poéticas. Alcanzó la poesía náhuatl sus mayores éxitos en la expresión de actitudes humanas fundamentales: la reverencia del hombre ante sus dioses, la inquietud ante lo desconocido, la angustia de la muerte. Hay un tono impresionantemente cercano en los versos que citamos del "Canto en loa de los reyes"; quizá sean los versos más humanos de toda

la lírica azteca. Dignos son de figurar entre los versos in-
mortales de la poesía universal, por encima del tiempo y
de la lengua, porque en ellos el poeta desconocido tocó un
resorte eterno del alma del hombre.

Nunca en verdad cesará, nunca en verdad se irá,
ni se me hará soportable la tristeza que ahora expreso.

LECTURAS: "Vida efímera", "Canto de Primavera", "La amistad efímera", "Canto en loa de los reyes", "Canto de la madre de
Dios", "Llegada de la Primavera", "La amistad".

CRÍTICA: Castillo Ledón, Luis, estudio y arreglo de. *Antigua
literatura indígena mexicana*. México, Imprenta Victoria, 1917. Garibay K., Angel María, sel., intr. y notas. *Epica náhuatl*. México,
Edic. de la Universidad Nacional Autónoma, 1945. .... *Historia
de la literatura náhuatl*. México, Editorial Porrúa. 1ª parte, 1953;
2ª parte, 1954. ......, sel., versión, intr. y notas. *Poesía indígena
de la altiplanicie. Divulgación literaria*. México, Edic. de la Universidad Nacional Antónoma, 2ª ed., 1952. Ortiz de Montellano,
Bernardo. *Literatura indígena y colonial mexicana*. México, Secretaría de Educación Pública, 1946. .... *La poesía indígena de
México*. México, 1935.

II

SIGLO XVI

Al hablar de la poesía mexicana del siglo de la Conquista, hay que reconocer que forma parte de la literatura peninsular. Todavía no se ha separado del tronco; es una rama que apenas empieza a brotar. Llegan los conquistadores y traen consigo el romance. "Cata Francia, Montesinos; cata París, la ciudad...", dicen ante las maravillas de esta tierra nueva, según nos cuenta Bernal Díaz del Castillo. Y hasta adaptaron los viejos modelos a circunstancias nuevas:

> En Tacuba está Cortés
> con su escuadrón esforzado;
> triste estaba y muy penoso,
> triste y con muy gran cuidado...

Poco después comienza la inmigración de peninsulares, y entre ellos, literatos de fama: Gutierre de Cetina, Diego Mexía, Luis de Belmonte, Mateo Alemán... Siguen escribiendo, y si muchas veces están en México como si estuvieran en China en lo que toca a su poesía, hay casos en los que reflejan el ambiente nuevo, al contacto con nombres y voces extraños. El insigne Juan de la Cueva escribe de

> Seis cosas excelentes en belleza
> hallo, escritas con C, que son notables
> y dignas de alabaros su grandeza:
> casas, calles, caballos admirables,
> carnes, cabellos y criaturas bellas...

Se regocija por la comida suculenta: plátanos, mame-
yes, guayabas, anonas, aguacates, pipianes. Otro ilustre recién llegado, Eugenio de Salazar y Alarcón, cantó las glorias de la Laguna de México en octavas reales que si bien
pecan de mal gusto tienen a veces, también, una lucidez
y delicadeza encantadoras, como cuando hablan de

> ...la bella ciudad, donde se cierra
> de verdes cerros llenos de hermosura
> una espaciosa y muy gentil llanura.

Pero estos poetas, aunque entonan un canto que demuestra conocimientos de la Nueva España, todavía son
españoles. Para hablar de la poesía mexicana, tendremos
que investigar la obra de líricos nacidos en México o, cuando menos, llegados antes de ganar fama de poetas.

De que abundaba la poesía, no hay la menor duda. El
manuscrito de las *Flores de varia poesía*, que data de 1577
y que hoy se encuentra en la Biblioteca Nacional de Madrid, comprende treinta poetas, incluyendo a algunos mexicanos. Tanto Eugenio de Salazar como Bernardo de Balbuena señalan la abundancia, y existe el famoso dicho de
González de Eslava de que había "más poetas que estiér-
col". Ya en 1585 concurrieron más de trescientos poetas a
un certamen, según asegura Balbuena, uno de los laurea-
dos, en su *Siglo de Oro*.

CONSULTAR

Méndez Plancarte, *Poetas novohispanos*, volumen I.

A. AUTORES

Uno de los primeros poetas novohispanos del que tenemos noticia es PEDRO DE TREJO (1534-¿?). Nacido en Plasencia, ya en 1561 estuvo en Morelia. Poco se sabe de él, y después de 1575, cuando la Inquisición le condena, desaparece. Nos dejó algunas poesías que sirven el doble propósito de deleitar nuestra sensibilidad estética y de demostrar las dos corrientes poéticas que se disputaban por entonces la primacía. Si la italianizante, reflejada en sus sonetos, obtuvo el triunfo, quedan villancicos y coplas como lindos ejemplares de una moda que nunca murió del todo y que ha vuelto a cobrar vida en el siglo XX.

Pero no fue Trejo mero campo de batalla donde lucharon dos poéticas opuestas. Echó mano de todo; villancicos para cantar al Niño Dios, coplas al estilo de Manrique para cantar el viejo tema del *ubi sunt*, sonetos de esquema nuevo, u otras formas, y, dentro de su estilo ecléctico, logró versos de alta calidad. En particular merecen señalarse algunos versos candorosos del "Villancico al Nacimiento de Cristo", así como el humorismo de su "Canción a una dama".

Otro español que se trasladó a México a temprana edad fue FERNÁN GONZÁLEZ DE ESLAVA (1534-c. 1601). A los veinticinco años estaba ya en México, donde se educó. En la poesía de González de Eslava también aparecen las dos corrientes, la tradicional, en las *Canciones divinas*, y la italianizante, en las *Obras a lo humano*. Dentro de la obra tradicionalista, se destaca el tono vivo y claro de las ensaladas, el lirismo sencillo de los villancicos —véase la lindísima "Canción a Nuestra Señora"— y, en fin, todos los elementos que hicieron que Menéndez y Pelayo lo situara en la tradición que va de Montesinos a Valdivielso. Méndez Plancarte añade dos nombres más que pertenecen a este ramo ilustre de la poesía: los de Gil Vicente y Lope de Vega. En lo italianizante, González de Eslava es de clara procedencia petrarquesca. Basten la joyería de la lira que glosa su propio soneto "Columna de cristal", la estructura formal, el concepto de la dama cruel, e imágenes tales como

> Atrás dejó a la nieve el blanco pecho...
> Marfil incomparable,
> do van los diez rubíes trecho a trecho...

para indicarnos su filiación poética.

*FRANCISCO DE TERRAZAS (c. 1525-1600), probablemente el primer poeta nacido en México, es también el primero de méritos literarios. Hijo de conquistador preeminente, no se dejó oscurecer por la prosapia del padre. Tenía fama de poetizar en latín, español y toscano; Cervantes, en la *Galatea*, le califica como de "gran ingenio", y se ha dicho que las maravillas que hizo Cortés las igualó Terrazas escribiéndolas.

Poco nos queda de su obra poética: nueve sonetos, una epístola en tercetos, unas décimas dirigidas a González de Eslava y fragmentos de un poema épico. De las décimas no diremos nada, puesto que en rigor no son poesía sino teología rimada que lo mismo pudiera decirse en prosa sin que se notara gran diferencia. Es en los sonetos, y concretamente, en el primero, donde muestra Terrazas sus innegables dotes líricas. A base de un soneto del portugués Luis de Camões, construyó una de las más bellas muestras del petrarquismo. Se han señalado huellas del sevillano Herrera y abundan las características de la lírica de Petrarca que apuntamos ya, pero todo esto no rebaja su verdadero genio, domeñando el verso y no viceversa. Interesa Terrazas por mostrar no sólo la corriente poética más en boga, sino también por dejar entrever momentos del conceptismo que llegará a su plena expresión en el siglo XVII.

Terrazas tiene valor no sólo como monumento histórico o hito de escuela. Fue demasiado artista para permitir eso, y siempre hay algo en él suficiente para que el lector se aperciba de que se encuentra ante un verdadero poeta. Tal demuestran los versos siguientes:

> ...no sé yo, muriendo, cómo vivo
> si no es a pura fuerza de mi llanto.

En la *Sumaria relación de las cosas de la Nueva España*, de Baltasar Dorantes de Carranza, escrita entre 1601 y 1604, aparece una serie de fragmentos de un poema épico. De estos fragmentos, veintiuno se han identificado como obra de Terrazas; hay también una octava de un tal Salvador de Cuenca y varias de José de Arrázola. Esta obra iba a llevar el título de *Nuevo mundo y conquista*, de lo que se puede inferir que relataría la Conquista desde los viajes de Hernández de Córdoba y Juan de Grijalva hasta terminada la conquista de México. Según parece, Terrazas murió antes de terminarla.

De entre dichos fragmentos hay varios que destacan: el episodio de *Huitzel y Quetzal*, la relación de Jerónimo de Aguilar, y algunos más. Se ha discutido si el valor de estos trozos no es con frecuencia más lírico que heroico, y aunque la narración de la pesca del tiburón, por ejemplo, demuestra cierta capacidad dramática, y un valor expresivo dentro de su propósito, hay que confesar que de entre los episodios sobresale el de *Huitzel y Quetzal*, que es muy poco heroico.

En la épica como en la lírica, Terrazas es de pura filiación renacentista; como antecedente de su *Nuevo mundo...* se ha citado a Ercilla y su *Araucana*. Este, a su vez, demuestra claras influencias de la épica renacentista italiana y, a través de ésta, de la clásica.

LECTURAS: "Soneto primero", "Huitzel y Quetzal".

CRÍTICA: *Poesías*. Edición, prólogo y notas de Antonio Castro Leal. México, Porrúa Hnos., 1941. Millán, María del Carmen. "El paisaje idealizado". En *El paisaje en la poesía mexicana*, páginas 13-32.

Si se ha discutido el valor de las pretensiones épicas de Terrazas, con los juicios sobre el *Peregrino indiano* (1599) de ANTONIO DE SAAVEDRA GUZMÁN se podría hacer una copiosa antología de la crítica irritada. Este intento poco afortunado de cantar las hazañas de Cortés ha recibido todas las invectivas de varias generaciones de historiadores de literatura. De su autor sabemos que fue hijo de uno de los primeros pobladores; de familia noble, Saavedra Guzmán sirvió de corregidor de Zacatecas antes de volver a España.

El *Peregrino indiano* pertenece a la misma familia de *Nuevo mundo y conquista;* como éste, es pariente cercano de la *Araucana.* Al precisar las cualidades de la obra de Saavedra Guzmán, Alfonso Méndez Plancarte apunta los mismos vicios de que adolecen los demás miembros de esta clase de poesía: tendencias más o menos inevitables a la retórica ampulosa, trivialidad, monotonía y abuso de convencionalismos. Añade que también participa de las virtudes familiares: momentos líricos, aciertos bélicos... Ahora bien, en dicho caso hay que confesar que, por desgracia, las proporciones quedan en orden inverso a las de la *Araucana* o *Nuevo mundo y conquista.*

Volvamos ahora a la lírica, y en especial la religiosa. Se destacan dos obras —lo único que de él tenemos— de FERNANDO DE CÓRDOBA Y BOCANEGRA (1565-1589). De familia nobilísima, reveló a temprana edad estar dotado de altos dones intelectuales; tocaba la vihuela, poetizaba en castellano y en latín. En fin, fue el perfecto caballero renacentista, el cortesano de Castiglione. Pero a los veintiún años renunció al mundo secular y se entregó a una vida de pobreza y contemplación.

Las dos poesías, conservadas por Fray Alonso Remón en su *Vida* de Córdoba y Bocanegra, son la "Canción al amor divino" y la "Canción al Nombre de Jesús". Son estancias, o sea estrofas compuestas de versos endecasílabos y heptasílabos. Cantan la sincerísima fe del poeta en palabras que cobran brillo y emoción al hablar de Jesús:

> Si yo a mi Jesús viese,
> al punto cesaría
> toda mi pena y ansia lastimera...

> ...nieve que aplacas el lascivo fuego,
> panal que al gusto quitas la amargura,
> licor que sanas la mortal herida...

Otra muestra de la lírica religiosa es el fragmento de la "Ensalada de San Miguel" del jesuíta PEDRO DE HORTIGOSA, reproducido por Méndez Plancarte. Alegoría de la vida espiritual como viaje a "la gran China", emplea el estribillo "Hola, que me lleva la ola, / que me lleva a la mar!" que, con variantes, aparece repetidas veces; a este estribillo popular se debe la sabrosa frescura del poemita.

También cabe mencionar aquí alguna obra anónima tal como el "Panegírico de la Anunciación", escrito hacia fines del siglo. Entre lo mejor de dicho "Panegírico" hay que colocar la canción "Cortemos, Virgen —que ya es tiempo— el hilo". Además de servir a manera de "envío", incluye en los tres versos últimos uno de los monumentos de la lírica mariana. El poeta desconocido le envía su canción a la Virgen, encomendándole:

> ...y cuando hayáis llegado,
> decidle, Canción mía,
> que aquí en el alma tengo su traslado.

Fuertemente bíblico es el tono del "Anónimo de los salmos", probablemente de fines del siglo. Sus octavas casi desnudas, sin galas ni joyerías, reflejan la plegaria sincera de un hombre perdido en este mundo que "se le apoca".

B. LA SÁTIRA

Del nutrido caudal satírico del siglo XVI. nos toca hablar aquí de tres sonetos anónimos conservados por Dorantes de Carranza, Reflejan tres actitudes muy difundidas en aquel período. Uno trata de la indignación del español venido a estas "Minas sin plata"; otro es el famoso "Viene de España por el mar salobre", que vierte el desdén para con el español que llega a México, se enriquece y luego maldice del país. Siendo que antes "...tiraba la jábega en Sanlúcar!" El tercero fulmina desahogos contra el favoritismo en pro de los "Niños soldados, mozos capitanes..." Temprano se ve aparecer el conflicto entre criollo y peninsular, temprano surge lo mexicano contra lo español.

Aunque el autor no fuese en rigor mexicano, cabe entre la sátira novohispana la del sevillano MATEO ROSAS DE OQUENDO. Hacia 1598 pasó de Lima a México, donde encontró suelo feraz para su sátira pintoresca, riéndose de todo el mundo, fuese ya de gachupines, ya de criollos, ya del idioma, pleno de nahuatlismos.

Pero es notable que además escribiera poesías de cierto encanto melancólico. Véase por ejemplo "Indiano volcán famoso..."; "...estreno de los volcanes en nuestra poesía...", según hace notar Méndez Plancarte:

> ...que aunque el morir es tan triste,
> yo diré que muero alegre
> con que reciba en su cielo
> el alma que allá me tiene.
> Y vosotros, entretanto,
> altos pinos, rocas fuertes,
> sentid el mal que me acaba,
> si acaso acabarme puede.

Es de entronque claro con la poesía "de medio tono", como se la ha llamado, que desemboca en los temas de la muerte frecuentados por algunos líricos de pleno siglo XX; tradición que aún tiene vigencia en Chumacero y Beltrán.

Alfonso Reyes se fija en el tono apagado de algunas poesías de Rosas de Oquendo y las compara con otras del mismo escritas en el Perú. Encuentra que éstas son más fuertes, de mayor vehemencia, y atribuye la diferencia al influjo del paisaje, ese paisaje melancólico y reservado del Valle de Anáhuac. En todo caso, es de notar que mientras las escuelas de la madre patria proveen todavía el patrón artístico, en el mismo siglo de la Conquista cobra la poesía novohispana un matiz expresivo que le impone un sello particular. Sello, añadimos, que acaso sea la nota tónica de la poesía mexicana en el transcurso de los siglos.

III

SIGLOS XVII Y XVIII

BARROQUISMO Y DECADENCIA

Una de las mayores aportaciones al estudio de la cultura es el intento de presentarla como visión íntegra de conjunto o suma cultural. Así podemos hablar del Renacimiento con la certeza de que el oyente entenderá de lo que se trata; así se denomina "Romanticismo" a ese período que, por distintas que sean las direcciones que abarca, comparte cierta fundamental actitud que lo diferencia de otros períodos de la historia de la cultura.

Pero a la par de proporcionarnos esta ventaja, esa tentativa produjo también lamentables confusiones; entre ellas, ninguna peor que la suscitada por la palabra "barroco" aplicada a la literatura y, en especial, a la escrita en España y en la Colonia durante la mayor parte del siglo XVII. Sería éste un problema difícil de resolver. Sin embargo, hay características que diferencian este período de otros, características innegables que trataremos de precisar.

Quien mejor ha estudiado el problema es Dámaso Alonso en el examen que viene desarrollando en toda una serie de libros valiosos. En pocas palabras, su tesis es la siguiente: lejos de ser tan distinto de lo que le precedió, el barroco no fue sino intensificación de varias características de la literatura del siglo XVI. Es decir, cada poeta, para no ser eco débil, tuvo que complicar cada vez más la técnica de sus versos. Así, Herrera es más atrevido, más complicado que Garcilaso, mientras que Góngora lo es mucho más que Herrera. Lo mismo sucedió en México: Balbuena es más atrevido que Terrazas, Sigüenza y Góngora lo es en mayor grado que Balbuena.

El aspecto más discutido del barroco es el gongorismo. Gracias a la obra de Dámaso Alonso, Alfonso Reyes y algunos otros críticos, se ha descartado el viejo tema de los dos Góngora: uno, "Príncipe de las tinieblas", otro, "Príncipe de luz". El análisis moderno ha demostrado que hay un solo Góngora, poeta íntegro en su afán de belleza. Para enriquecer lo gastados que estaban temas y lengua, echó mano a todo. A la lengua le aportó giros sintácticos del griego y del latín; la enriqueció con neologismos y nuevos usos. En la técnica, cultivó toda suerte de metáforas complicadas, cada vez más brillantes y osadas. La dificultad de leer a Góngora —dificultad que nadie niega— no se debe más que a este anhelo de enriquecimiento, de pulimento. Como ha dicho Dámaso Alonso, la dificultad gongorina se debe al hecho de que Góngora parte de un nivel poético que representa para muchos la cima de la poesía.

Existe otro aspecto del barroco: el conceptismo. Que hubiese dos escuelas radicalmente opuestas ya nadie lo cree; que hay una buena cantidad de literatura que demuestra caracteres comunes y muy fuera de lo que suele llamarse gongorismo, tampoco puede negarse. Casi todos los escritores compartían ambas tendencias; encontramos a Quevedo, el "gigante" conceptista, escribiendo a lo gongorino.

Ahora bien; ¿en qué consiste el conceptismo? Su base fundamental se halla en el ingenio, en el concepto. Es un estilo de contenido más que de forma. Así resulta que su manifestación técnica quizá más característica sea la antítesis, el juego de conceptos. Debe insistirse: no hay límites fijos que dividan claramente la poesía entre estas dos tendencias. Se entremezclan, se confunden; como queda dicho, ambas se dan en la obra de un mismo escritor.

CONSULTAR

Bataillon, Marcel. "El anónimo del soneto 'No me mueve, mi Dios...'". *Nueva Revista de Filología Hispánica*, Cambridge, Mass. México, vol. IV (1950), págs. 254-269. Méndez Plancarte. *Poetas novohispanos*. Vols. 1-3. Peiser, Werner. "El barroco en la literatura mexicana". *Revista Iberoamericana*, México, vol. VI, núm. 11 (febrero 1943), págs. 77-93. Sigüenza y Góngora, Carlos de. *Triunfo parténico*. Pról. de José Rojas Garcidueñas. México, Edic. Xochitl, 1945.

A. LA ÉPICA

A **BERNARDO DE BALBUENA (¿1562?-1627) le toca ser el primero de entre los poetas épicos novohispanos del siglo XVII tanto en tiempo como en calidad. Español, en México hizo sus estudios y desempeñó puestos religiosos. En 1607 pasó a España; más tarde fue Abad de Jamaica y Obispo de Puerto Rico. De él tenemos tres obras: *Grandeza mexicana* (1604); *El siglo de oro en las selvas de Erífile* (1608); *El Bernardo o Victoria de Roncesvalles* (1624).

El siglo de oro, colección de églogas o novela pastoril, está relacionada con la tradición bucólica que, partiendo de Teócrito y pasando por Virgilio, culmina en Sannazaro y, en la Península, en Garcilaso, Montemayor, Gil Polo, Cervantes y Lope. Nos atañe más, aquí, la serie de poemas líricos intercalada por Balbuena; refleja los clásicos gusto y formación de su autor. Se destaca el "Canto del viejo pastor" inspirado en los "Remedia amoris" de Ovidio, según nos señala Méndez Plancarte. Sorprende la sinceridad sencilla de este poema que ensalza la vida rústica cuando el lector se acuerda de que fue Balbuena el autor de la cosmopolita *Grandeza*. Los versos distan mucho del fuego barroco de su obra más conocida.

Otro de estos poemas breves es el "Beatus Ille", imitación de Horacio, pero marcadamente influído por la traducción del original latino hecha por Fray Luis de León. Quizá el mayor acierto del poema sea la regocijada enumeración de frutos, inclusive.

> ...las uvas como grana,
> de adonde el vino y alegría mana.

Técnica ésta, que es la nota distintiva de la *Grandeza,* como si fuera Balbuena uno de esos poetas que andan por la vida ebrios de puro contemplar el fenómeno de la existencia.

El Bernardo, épica caballeresca y fantástica, de extensión enorme y trama enrevesada, interesa por el mismo gusto de la naturaleza y por su sabor plástico y sensual, donde bullen imágenes osadas, anticipo de Góngora. Grata habría sido al cordobés la descripción de Morgana:

> ...por el cabello vuela una lazada
> que haciendo el rostro un sol, sirve de llama
> que en bellos arreboles se derrama.

Para el lector moderno, lo de menos de *El Bernardo* son las aventuras del héroe, Bernardo del Carpio. La mente barroca del autor permite que el protagonista se entremeta con magos, dragones y toda clase de adversarios fantásticos. Sí interesa el conjunto por cuanto nos revela el tremendo dinamismo que regía la poética de Balbuena; lo de valor permanente son algunos trozos aislados, de gran interés. Entre los más destacados figuran los versos que ven el universo como "...reloj de universal concierto..." y se preguntan,

> ¿Qué sabio sabe
> su duración, el tiempo que le queda,
> y cuántas vueltas faltan a la rueda?

Además de tener un eco lejano de Fray Luis, estos versos nos anticipan la desgarradora poesía de Quevedo. El carácter universal de la percepción poética de Balbuena alcanza, quizá, su más sorprendente altura en el fragmento

titulado por Méndez Plancarte "El Habla de las cosas".
Desarrolla un concepto de la existencia que el distinguido
crítico llama casi simbolista: todos los fenómenos de la existencia tienen entre sí relaciones que sólo alcanza a entender el que se haya apartado de los quehaceres mundanos.
Sin coincidir completamente con la teoría de las correspondencias de Baudelaire, este concepto del mexicano tiene
sorprendente parentesco con la genial intuición del francés.

Pero si Balbuena nunca hubiera escrito ninguna otra
cosa, bastaría para su inmortalidad la *Grandeza mexicana*.
Es el canto entusiasta de un hombre que está encantado de
vivir en una de las ciudades más esplendorosas, más vivas
del mundo entero.

> ¡Oh pueblo ilustre y rico en quien se pierde
> el deseo de más mundo que es muy justo
> que el que éste goza de otro no se acuerde!

En esta época era México gran centro comercial y cultural, y todo esto lo describe Balbuena. El poema está di-
vidido en ocho "capítulos" o cantos, más un epílogo, que
cantan

> De la famosa México el asiento,
> Origen, y grandeza de edificios,
> Caballos, calles, trato, cumplimiento,
> Letras, virtudes, variedad de oficios,
> Regalos, ocasiones de contento,
> Primavera inmortal y sus indicios,
> Gobierno ilustre, religión y estado,
> Todo en ese discurso está cifrado.

Sobre esta estructura básica, construyó Balbuena un
edificio poético cuya característica más impresionante es
la abundancia; hierve en él toda la vida de una ciudad
bulliciosa. Por eso Pedro Henríquez Ureña ha podido calificar el poema de barroco, comparándolo con la arquitec-
tura barroca mexicana cuya exuberante ornamentación

nunca llega al punto de ocultar sus líneas estructurales. Por eso también Menéndez y Pelayo pudo decir que fue Balbuena un clásico romántico, añadiendo que la *Grandeza* podría llamarse el primer libro verdaderamente americano.

Merecen señalarse en especial los versos del Canto V, donde el poeta, estupefacto ante las maravillas de las que está rodeado, cuenta con extraordinaria intensidad el hervidero de la vida social, rematándolo con un elogio a las damas mexicanas. En el Canto VI el poeta se pasma ante la variedad y la riqueza de la flora mexicana; tema, como ya queda dicho, entre sus predilectos. No podemos dejar de referirnos al brillo del Canto III; Balbuena queda embelesado ante los caballos: el castaño colérico, el tostado alazán, el zaino feroz, el galán ceniciento gateado. Por todo el poema abundan tales metáforas, signo del amor que sentía el poeta por ese "Valle fresquísimo y florido".

LECTURAS: Selecciones de los Cantos III y V de la *Grandeza mexicana*.

CRÍTICA: Millán, María del Carmen. "El paisaje hiperbólico". En: *El paisaje de la poesía mexicana*, págs. 33-56. Van Horne, John. *Bernardo de Balbuena*. Guadalajara, Jal., Imp. Font, 1940.

Seis años después de la *Grandeza mexicana* apareció la *Historia de la Nueva España* por el español GASPAR PÉREZ DE VILLAGRÁ, más tarde Alcalde Mayor de Guatemala, donde murió por los años 1620-1625. La obra es de indudable valor histórico: narra las andanzas y aventuras de su autor, quien militó en la Conquista. Incluye una serie de documentos entre sus treinta y cuatro cantos (según Menéndez y Pelayo, son treinta y cuatro "cantos mortales"), cuya poesía "cancilleresca" es tan prosaica que apenas se advierte la intromisión de dichos documentos. Muy justamente, Méndez Plancarte ha subrayado los valores poéticos al señalar la franqueza y el poder de algunos versos, sin olvidar el sentimiento de la naturaleza, que se encuentra hasta en las descripciones de las "escabrosas tierras" del desierto. Tampoco falta cierta aptitud satírica al tratar el vie-

jo tema del soldado que vuelve a España para encontrarse
"...adorando a los pajes y porteros...".

Todos los temas épicos que hemos visto están incluídos
en el *Canto intitulado Mercurio* del extremeño ARIAS DE
VILLALOBOS (1568-1621). Pasó joven a México, donde
se educó y llegó a figurar entre los escritores más estima-
dos de la Colonia. Autor asalariado, escribió comedias y
elogios por encargo. Sólo nos quedan alguna pieza lírica, la
Obediencia que México dió a D. Felipe IV (en prosa) y
el *Mercurio*. Es éste como un resumen de toda la historia
anterior de México desplegada por Mercurio ante el nuevo Virrey, Marqués de Monte Claros; incluye además una
descripción de la ciudad. Adolece de la misma desigualdad
de que sufre Villagrá; como la obra de éste, contiene momentos de interesante realismo, además de algún vuelo de
alta calidad poética, como en el fragmento del tigre infer-
nal, Astaroth, quien tilda a Moctezuma de cobarde para
que el indio no acate la fe católica.

Es, además, de interés la obra de Villalobos —tanto en
la lírica como en la épica— por sus coincidencias o quizá
influencias gongorinas. Abundan las alusiones, la sintaxis
retorcida y los latinismos; por desgracia, no siempre están
ausentes los abusos del gongorismo, como la predilección
por los alardes de maestría técnica mediante unos desafortunados esdrújulos. Uno de los aspectos más interesantes de
su obra es la abundancia de indigenismos; sin enfatizar,
sospechamos que un análisis sistemático del lenguaje poético de Villalobos acaso arrojara indicios de una intención
parecida a la latinizante, pero orientada hacia lo indígena.

Cerremos esta ojeada a la épica con el anónimo *Poema de la Pasión*, manuscrito que Méndez Plancarte juzga
de principios del siglo. A pesar de tendencias barrocas en
las imágenes —en especial la sinestesia: "colores / de oloro-
sos y suaves esplendores"; "el olfato del oído"—, el poema es más tradicional que barroco. Cabe dentro de la tra-

dición realista, austera, que había producido el *Cid;* los sufrimientos de Cristo ahondan en la sensibilidad del lector cuando están narrados en estilo llano, a veces crudo, pero que nunca se hace brutal y que alguna vez es de una sencillez luminosa y delicada.

> En la boca del viento no se oyeron
> las lenguas de los árboles hojosos,
> o porque ellos entonces no movieron
> las ramas, de lo triste temerosos,
> o porque ellas entonces resistieron
> los golpes de los vientos procelosos,
> o porque todo en gran silencio estaba
> por escuchar lo que el Criador oraba...

B. LÍRICA PREBARROCA: 1600-1649

La lírica de comienzos de siglo, al igual que la épica, sigue por los caminos de la centuria anterior. Todavía están en vigencia el tradicionalismo de Eslava, el petrarquismo de Garcilaso y la estela de los grandes religiosos de España. En el primero hay que incluir la obra de FRANCISCO BRAMÓN. En 1620 apareció su *Sirgueros de la Virgen,* novela pastoril a lo divino. En sus páginas aparecen varias poesías y un auto, *El triunfo de la Virgen.* Interesa dicho auto por el *tocotín* o baile con que termina; el Reino de México y seis caciques bailan al son del teponaxtle, mientras se cantan estos frescos versos:

> Coged frescas flores
> del rostro de Abril;
> hacedle guirnaldas
> de blanco jazmín.

El tono marcadamente popular aparece también en el poemita "Linda entre mujeres", deliciosos cuartetos hexasílabos.

Mencionaremos dos obras más de la escuela de Eslava: unas "Redondillas" en la beatificación de San Felipe de Jesús, que serían de 1629, y las coplas de la "Partida de Nuestra Señora de Guadalupe", de 1634. Faltos de verdadero vuelo lírico, se salvan por su gracia sencilla.

Otra tradición la encontramos en la obra de MIGUEL DE GUEVARA (¿1585?-¿1646?). Este ilustre religioso nos dejó una serie de versos al estilo conceptista que vienen de Boscán, partiendo, aun antes, de los cancioneros medievales. Si bien cayó a veces en los infelices virtuosismos que suele acarrear consigo este amaneramiento, en sonetos como "Levántame, Señor, que estoy caído", los contrastes les dan verdadera significación lírica. Auténtico hallazgo estético es el verso ". . . yo propio lo deseo y yo lo impido", destilando el íntimo pesar de deseos opuestos en un concepto cristalino.

Desgraciadamente para la gloria de Fray Miguel, las pesquisas más recientes parecen dejar aclarado un asunto que ha preocupado a muchos hispanistas: ¿quién fue el autor del soneto "No me mueve, mi Dios"? Después de haber sido atribuído a numerosos ingenios, dicho soneto fue encontrado en un manuscrito de Guevara de 1638. Basándose en este hallazgo, se le atribuyó la paternidad artística del mismo. Pero hace pocos años fue encontrado dicho soneto en un manuscrito español de 1626. Parece haber sido uno de los cientos de sonetos anónimos que abundaban por aquel entonces; como ellos, contiene una doctrina de amor puro espiritual denunciado por la Iglesia. Difícilmente podríamos reconciliar estos distintos testimonios; Fray Miguel habría copiado el soneto por creer —con absoluta razón— que, denunciado y todo, es de la más alta calidad.

Al ilustre historiador texcocano FERNANDO DE ALVA IXTLILXÓCHITL (¿1568?-¿1648?) se le conoce como autor de varias *Relaciones* y de la *Historia Chichimeca*, pero su pasión por lo indígena abarcó también la poesía, y en especial la atribuída a Netzahualcóyotl. Además de recopilar una cantidad de poesías folklóricas, hizo traducciones o versiones de varias de ellas. Las vertió en formas europeas, conservando el tema y la típica metáfora indígena a base de joyas, piedras y aves. Destaquemos la preocupación por la fugacidad de la vida, preocupación que aparece cuajada en versos de singular belleza nostálgica:

> Y tú, querido amigo,
> goza la amenidad de aquestas flores;
> alégrate conmigo,
> desechemos las penas, los temores:
> que el gusto trae medida
> por ser al fin con fin la mala vida.

Quien conozca la excelente obra de Angel María Garibay K. en esta materia, reconocerá inmediatamente la indudable inspiración indígena; todo lector avezado a la mejor poesía mexicana reconocerá la medida sobria que ha caracterizado a algunos de los mejores poetas, desde Alarcón hasta los modernos.

Y hablemos ahora del primer gran dramaturgo mexicano JUAN RUIZ DE ALARCÓN Y MENDOZA (1581-1639). En rigor, no es poeta. No es un Lope, de quien salen los versos a borbotones, ni tampoco el valor de su teatro radica en el lirismo. El valor poético de Alarcón es otro.

Por supuesto, en sus comedias encontramos fácilmente lirismos de una belleza sorprendente, o sátira mordaz, o humorismos de ley. Pero el valor poético de Alarcón estriba en el doble hecho de ser a un mismo tiempo antecedente y máxima expresión de una de las corrientes más características de toda la poesía mexicana, ese "medio tono" que tanto se ha discutido. Tiene la palabra Pedro Henríquez Ureña: "Como el paisaje de la altiplanicie de la Nueva España, recortado y aguzado por la sequedad y el frío, se cubre, bajo los cielos de azul pálido, de tonos grises y ama-

rillentos, así la poesía mexicana parece pedirle su tonali-
dad. La discreción, la sobria mesura, el sentimiento melancólico, crepuscular y otoñal, van concordes con este otoño
perpetuo de las alturas, bien distinto de la eterna primavera fecunda de las tierras tórridas, otoño de temperatu-
ras discretas, que jamás ofenden, de crepúsculos suaves y
de noches serenas." Así es. La diferencia entre la comedia
de Alarcón y la de Lope, Tirso o Calderón es innegable.
Sus contemporáneos se fijaron en la "novedad" de su obra;
desde entonces se ha comentado su "clasicismo" dentro del
genio romántico del teatro del Siglo de Oro. Su mesura es
radicalmente opuesta a la fertilidad de los ingenios citados;
le interesa más la persona, el hombre. Henríquez Ureña,
como queda dicho, atribuye esta diferencia a influencias
telúricas, agudizadas por la desgracia física de Alarcón que
le volvió más pensador y, cuando menos en su teatro, más
humano.

Se ha dicho que hay dos clases de poetas: los que interesan por lo que dicen y los que interesan por cómo lo dicen. Alarcón es de los primeros; nos atrae, no por el brillo
de sus versos, sino por la hondura humana de sus personajes. Alarcón cabe aquí como el primero en la serie de los
poetas del drama humano, serie que culmina en la obra
mexicanísima de modernos tales como González Martínez
y Villaurrutia.

C. ALBORES DEL BARROCO: LA LÍRICA ANTES DE SOR JUANA

Al hablar del atraso del siglo XVII respecto a las corrientes poéticas del siglo anterior, escogimos como lindero más
o menos artificioso, el año 1640. Obviamente había asomos del gongorismo antes de dicho año; véase lo que hemos dicho de Arias de Villalobos. Del conceptismo también
hemos visto algunas muestras, si bien en su forma religioso-
medieval. Pero antes de 1640 estas tendencias no eran las

más importantes, y mucho menos las imperantes y únicas, como después llegaron a ser.

Abre el panorama de los comienzos del barroco la poetisa MARÍA DE ESTRADA MEDINILLA, autora de la *Relación de la feliz entrada en México del Marqués de Villena* (1640), así como de una *Reseña de las corridas de toros y juegos de cañas* (1641) y de varias obras menores, una de ellas laureada en un certamen de 1654. Interesa su obra por mostrar tanto el creciente gongorismo —el bordado del traje viene a ser "Nube... de plata"— como el conceptismo:

> ...no queda bien determinado...
> si fue Oro engrifado o Grifo de oro.

Poeta a todas luces mejor es *MATÍAS DE BOCANEGRA (1612-1668), erudito poblano y autor de una comedia, de distintos sermones, y de variada obra poética. Entre ésta figura el "Viaje del Marqués de Villena" (1641) y el "Teatro jerárquico de la luz" (1642). Su obra mejor, cuya fecha se desconoce, es la "Canción alegórica al desengaño", basada, según Méndez Plancarte, en la "Canción del jilguerillo" de Mira de Mescua. Por otra parte, tiene parentesco con la "Imitación de Petrarca" de Fray Luis de León. Medita las respectivas ventajas de la vida religiosa, que transcurre en paz dirigida, y la vida seglar, libre pero peligrosísima. Por supuesto, opta por aquélla.

A pesar de su filiación siglo XVI, la nota dominante de la "Canción" es la calderoniana. Conceptista por excelencia, más bien estática que flúida aun en los momentos de acción, hasta parafrasea el gran soliloquio de Segismundo. Ni le faltan reminiscencias gongorinas —Polifemo, "...hilos de cristal, venas de plata..."— que no siempre tienen éxito: el anhelo de imágenes nuevas llega al extremo de decir "fatigar el aire" por "volar".

LECTURA: "Canción alegórica al desengaño".

CRÍTICA: Méndez Plancarte. *Poetas novohispanos*, vol. II, págs. XLIX-LI.

La estela de Quevedo también goza de digno representante en este período, *LUIS DE SANDOVAL ZAPATA. Descendiente de la más rancia aristocracia, no se conocen las fechas límites de su vida. Sandoval Zapata es otro más dentro del increíble número de poetas del barroco, desde el mismo Góngora hasta el más ínfimo poetastro, que habían sido blanco de los más errados ataques por parte de los críticos. ¡Todos condenados al olvido, todos corrompidos por el gusto execrable! Pero he aquí que durante los últimos treinta años, a medida que avanzan los estudios sobre el período, nos damos cuenta de que ni el gusto fue tan execrable, ni los poetas tan difíciles de leer. Cómo pudieron tildar a Sandoval Zapata de "disparatado" y "difícil" es algo que no alcanzamos a imaginar. De la pequeña cantidad de poesía que nos legó —dos romances y varios sonetos— no hay nada que justifique juicio tan raro.

De este reducido caudal se destacan algunos sonetos. Hay dos al estilo conceptista, "A una cómica difunta" y "Riesgo grande de un galán", ambos de primera calidad; señalemos en especial los dos versos últimos de cada poema, en los que el poeta logra sintetizar la imagen fundamental en un concepto brillante, técnica poética muy suya que contribuye de manera incalculable al éxito de cada soneto.

LECTURAS: "A una cómica difunta", "Riesgo grande de un galán", "A la materia prima".

CRÍTICA: Méndez Plancarte. *Poetas novohispanos*, vol. II, págs. LI-LV.

Pero aun en esta época, cuando compiten entre sí el adorno gongorino y la antítesis conceptista, no ha muerto todavía la tradición de los grandes poetas religiosos del siglo pasado. En la obra del Virrey *JUAN DE PALAFOX*

Y MENDOZA (1600-1659) campean reminiscencias de San Juan de la Cruz. La actividad de este Virrey de Nueva España es pasmosa por su cantidad: Consejero de Indias, capellán de la Emperatriz Doña María, todavía pudo edificar templos, fundar escuelas y bibliotecas, y contraer enormes deudas personales debido a su heroica actividad caritativa.

Escribe una gran cantidad de libros de teología e historia y una novela alegórica, entre otras cosas. Y todavía le sobran horas para escribir poesía. En ésta figuran los "Grados del amor divino", tratado de mística en prosa y verso, basado en las teorías de Santo Tomás de Aquino y la poesía de San Juan. También con sabor a San Juan es la "Guía y aliento del alma viadora", donde además gustamos de cierto rezago medieval en la metáfora:

> ¿Cuándo por el Mar de Amar
> me he de embarcar y anegar?

Entre los poetas menores de estos comienzos del barroco debemos mencionar a JUAN ORTIZ DE TORRES, autor en 1645 de la "Trágica lamentación" a la muerte del príncipe heredero Baltasar Carlos. El mismo año escribe un monólogo, "Alabanza poética de las insignes Isabelas Reinas de España", donde aparece un soneto a Isabel de Borbón, de belleza delicada en su leve conceptismo.

Desconocido es el autor de la "Elegía a la muerte de Fray Hortensio Paravicino". La publicó en 1640 el doctor Juan Rodríguez de León, limeño venido a México; acaso fuese de su mano. Sea así o no, esta "Elegía" representa una joya menor dentro del desarrollo del barroco mexicano. Demasiado temprana para ostentar más que leves muestras gongorinas, sobre un fondo siglo XVI, el poeta destaca imágenes tan felices como

> ...la Ciudad fundada
> sobre el eterno quicio de diamante...

Finalmente, mencionaremos a AMBROSIO DE SOLÍS AGUIRRE y AGUSTÍN DE SALAZAR Y TORRES. Aquél, músico y poeta, escribió una serie de poemitas de ocasión y un "Altar de Nuestra Señora de Guadalupe"; en éste cantó tanto las bellezas de la Nueva España como las de esa "criolla mexicana" que es la Virgen de Guadalupe. Si adolece todo esto de cierto prosaísmo, a veces el poeta logra verter en sus versos una fe sincera, lo que les da algún valor. Salazar y Torres (1642-1675), aunque español, pasó la juventud en México, donde se formó como poeta; más conocido como dramaturgo, de vuelta a España quiso rivalizar con Tirso y Calderón. Desgraciadamente, se han perdido casi enteros los poemas escritos en México; nos quedan algunos esparcidos en certámenes. Reflejan preocupaciones gongorinas que ceden el paso en su teatro a Lope y Calderón.

D. FLORECIMIENTO DE LA LÍRICA: SOR JUANA INÉS DE LA CRUZ

Gloria de las letras coloniales americanas es la Décima Musa **SOR JUANA INÉS DE LA CRUZ (1648-1695), bautizada Juana de Asbaje y Ramírez de Santillana en San Miguel Nepantla. Conocidísimos son los acontecimientos de su juventud que señalan el marcado intelectualismo que la distinguirá durante toda la vida, acontecimientos que culminan en el famoso examen a que la someten cuarenta sabios, y del cual sale victoriosa.

Por causas hasta hoy no aclaradas del todo, profesa en el Convento de San Jerónimo en 1669. Ahí pasa los años que faltan hasta su muerte. Las pesquisas más recientes parecen haber dado con la posible razón de su profesión, hecho éste que durante años suscitó las más acaloradas disputas entre los defensores de las distintas teorías ofrecidas. Ahora se sabe que por ser ella de nacimiento ilegítimo, tal vez encontró dificultades que la llevaron a optar por la vida religiosa como recurso más ajustado a su virtud y dotes intelectuales.

A pesar de no haber alcanzado mucha edad, a pesar de la multitud de tareas impuestas por su estado, a pesar de las visitas y las bien intencionadas reuniones con las hermanas religiosas, a Sor Juana le bastó el tiempo para poder dejarnos buena cantidad de escritos: teatro, prosa, teoría científica, teología, y, sobre todo, poesía. De su *Carta atenagórica* hasta se pudiera deducir que la mayor fineza de Cristo es la de dejar al hombre ocasión para que pueda estudiar; la religión, sin traspasar los límites de la fe nítidamente ortodoxa, se hace en Sor Juana abstracta, racionalista.

Donde este rasgo se patentiza es en el puro vuelo intelectual del "Primero sueño". En pocas palabras, el poema narra lo que pasa durante el sueño: el cuerpo descansa, se duerme; el alma, libre ya del peso físico y mental del quehacer cotidiano, trata de volar en la intuición instantánea del cosmos. Frustrada por la magnitud de éste, el alma, anhelante del supremo conocer, intenta trepar por la escalera de las categorías de la razón. Pero llega el amanecer, el alma vuelve al cuerpo. El poeta despierta.

Innegablemente inspirado en la obra de Góngora, "El Sueño" está diferenciado de su poesía en un punto importantísimo. La poesía de Góngora se interesa por las posibilidades expresivas, por la imagen, por el elemento decorativo. A pesar de la multitud de reminiscencias gongorinas que hay en el poema de Sor Juana, el énfasis se concentra más en el tema: el conocimiento. Preocupada siempre por su ávida búsqueda del conocer, Sor Juana escribió en este himno a la intelectualidad un monumento de la poesía metafísica, precursor del racionalismo del siglo XVIII y hasta de la poesía contemporánea. No será casualidad que el vaso, como imagen de la forma del cosmos, reaparezca en la obra de Amado Nervo y José Gorostiza, ni que haya tanta semejanza entre este primer gran poema onírico y los nocturnos del destacado poeta y sorjuanista Xavier Villaurrutia.

Pero la obra poética de Sor Juana no se reduce al "Primero sueño"; hay también gran número de endechas, sonetos, villancicos, romances de toda índole y forma, ovillejos y otras formas clásicas. Sus temas todo lo abarcan, desde el amor profano hasta la teología y el amor sacro: incluyen sátiras, cartas y epístolas en verso, y homenajes a caballeros y damas, en especial a sus dos amigas y protectoras, las virreinas Marquesa de Mancera y Marquesa de la Laguna —las Lysi y Laura de sus poemas—. Lo que sorprende no es que haya algo de poco valor sino que el genio lírico se destaque tan a menudo.

Dentro de este caudal lírico, deben citarse dos tendencias: la amorosa y la que suele llamarse filosófica. Aquélla incluye la serie de poemas donde la poesía se debate entre Silvio y Fabio, entre ofender al que la ama porque no lo quiere, u ofenderse a sí misma dándose al que no la quiere. Sirvan de ejemplo la endecha "Si acaso, Fabio mío" y el soneto "Que no me quiera Fabio al verse amado". No puede existir asunto más a propósito para ser cultivado por la mente esencialmente conceptista de Sor Juana. Citamos a continuación los tercetos del soneto:

> Si de Silvio me cansa el rendimiento,
> a Fabio canso con estar rendida;
> si de éste busco el agradecimiento,
>
> a mí me busca el otro agradecida:
> por activa y pasiva es mi tormento,
> pues padezco en querer y en ser querida.

Muestra más cabal de la estructura formal del conceptismo no la conocemos. La virtud de Sor Juana se encuentra en que supo domeñar la forma para que no se convirtiera en juego hueco de vocablos. Algo dicen estas antítesis; desempeñan función dinámica dentro del conjunto, y culminan en la angustia del laberinto sin salida de los últimos dos versos.

Mencionamos la endecha por ser de las mejores; menos rigurosamente conceptista que el citado soneto, su interés

estriba en las imágenes. Tal su quevedesca esperanza de
que

> ...a la tijera
> mortal que me amenaza
> concede breves treguas
> la inexorable Parca...

Tal la imagen —dos veces sorprendente por ser Sor
Juana tan poco adicta a la imagen como base de la poesía— de la muerte como "letal llave opaca".

A la poesía amorosa pertenecen asimismo las "Redondillas en que describe racionalmente los efectos irracionales
del amor." ¿Puede haber título más conceptista? Después
de este laberinto de los efectos irracionales, inconsecuentes,
añade la poetisa, entre sincera y riente:

> Si acaso me contradigo
> en este confuso error,
> aquel que tuviere amor
> entenderá lo que digo

Entre sus poemas de amor habría que clasificar dos de
los mejores sonetos de la lengua española: "Esta tarde, mi
bien, cuando te hablaba" y "Detente, sombra de mi bien
esquivo". Aquí sí puede creerse en amores desafortunados,
porque la gran poesía amorosa —la de Petrarca, de Garcilaso, de Shakespeare y de Sor Juana— surge límpida y res-
plandeciente del corazón que ha sabido destilar una lágrima para convertirla en poesía.

La segunda orientación lírica, la que denominamos "filosófica", se compondría de los poemas donde la poetisa,
prescindiendo de teología y razonamientos, se deja arrastrar por una corriente pesimista muy del siglo XVII. "Este
que ves engaño colorido" es como una *summa* de la angustia
humana ante la realidad fatal de la muerte.

Después de la reiteración de lo vano del mundo, expuesta en el martilleo de las cláusulas, vienen los cuatro sustantivos fatales: el martilleo se agudiza:

> es cadáver, es polvo, es sombra, es nada.

La evidente inspiración de este soneto en otro igualmente conocido de Góngora, no empaña la gloria de Sor Juana. Sirviéndose del soneto gongorino, ha construído otro distinto e igualmente valioso, que si bien lleva el mismo mensaje azorado, nada pierde en la expresión. Al fin y al cabo, el mundo es ya algo viejo para inventar nuevos temas poéticos; sólo existen los de siempre: el amor, la muerte, la rosa...

Actitud parecida a la de dicho soneto encuentra expresión en "Miró Celia una rosa que en el prado", donde demuestra cabalmente Sor Juana que su conceptismo, lejos de ser atavío de quita y pon, es su modo fundamental de pensar.

> ...que es fortuna morirte siendo hermosa
> y no ver el ultraje de ser vieja.

Ahora bien. La lírica sorjuanística no se limitó a quejas amorosas y desgarrones espirituales; encontramos en ella un delicioso sentido humorístico. Véase cualquiera de las varias respuestas a elogios que le dirigieron. O la sátira famosa de "Hombres necios que acusáis". O la que debiera serlo, dirigida a una "Presumida de hermosa". Si se busca algo menos agudo, ahí están los numerosos villancicos, en los que se encuentran versos escritos en náhuatl, dialectos negroides y portugués y latín macarrónico, todo con un gusto, un deleite tal, que el lector no puede evitar el asombro ante la maravilla de esta Décima Musa quien, por mucho que se la estudie, cobra siempre más vida, realza más y más en la jerarquía de los grandes poetas.

LECTURAS: Selecciones de "Primero sueño", "Si acaso, Fabio mío", "Que no me quiera Fabio", "Esta tarde, mi bien", "Detente,

sombra de mi bien esquivo", "Miró Celia una rosa que en el pra
do", "Este que ves engaño colorido".

CRÍTICA: *Obras completas.* México, Fondo de Cultura Económica, 1951. 3 vols. Prólogo, edición y notas de Alfonso Méndez
Plancarte.

E.   POETAS MENORES Y DECADENCIA

Cual le sucede a todo movimiento renovador de la poesía, pronto el gongorismo se convirtió en escuela. Se volvió cosa formal; era costumbre salpicar los versos con alusiones mitológicas sin que necesariamente viniesen al caso.
Donde, en la obra de Góngora, el hipérbaton y demás vio-
lencias sintácticas sirvieron para fines expresivos, en los
que ciegamente lo imitaban eran fracasos. Y lo peor es que
se creía que lo más enrevesado era lo mejor; todo poetastro se complacía en escribir laberintos, o sea composiciones
en verso (pero no poesía) que se leen lo mismo hacia arri-
ba que hacia abajo, a la izquierda que a la derecha. Creían,
con esto, hacerle honor a Góngora; el resultado fue desconcertante en extremo.

Por supuesto, huelga decir que no todos estaban al mismo nivel. Si no hubo nadie en absoluto, fuera de Sor Juana, que mereciese ser llamado poeta verdadero, en cambio
encontramos a menudo asomos de poesía escondidos en la
retórica de la época. Entre las figuras más valiosas sobresale el erudito y muy amigo de Sor Juana CARLOS DE SI-
GÜENZA Y GÓNGORA (1645-1700). Matemático, historiador, cosmógrafo, prosista de gran renombre (su obra *Infor-
tunios de Alonso Ramírez* se considera un antecedente de la
novela americana), se yergue como compendio del saber
de su siglo. Durante su corta y polifacética vida cumplió
altos servicios públicos y culturales; entre los más importantes figura el haber reunido el *Triunfo parténico* (1683),
documento fundamental que nos ha proporcionado textos
y comentarios valiosísimos para el estudio del barroco mexicano.

Consiste la obra poética de Sigüenza y Góngora en algunos sonetos y canciones y dos obras épico-líricas: la "Primavera indiana" y el "Oriental planeta evangélico". La primera, escrita cuando el poeta tendría unos diecisiete años, trata los milagros de la Virgen de Guadalupe. La concentración colorista de sus octavas revela la filiación gongorina, si bien a veces la expresión, casi prosaica, nos hace sospechar una mal digerida dosis alarconiana. Aun más suntuoso es el "Oriental planeta", dedicado a San Francisco Javier; aquí la estela gongorina se disputa la primacía con los alardes geográficos. A Sigüenza y Góngora le da categoría alguna imagen inesperada, algún giro original: surgen de repente "...consonancias de luz, voces de estrellas...", y se le perdonan extravagancias poco originales.

Otro gongorino aventajado es FRANCISCO DE AYERRA SANTA MARÍA (1630-1708). Nacido en Puerto Rico, su vida transcurrió en la Nueva España, dedicada al estudio y ejercicio de la teología y la pedagogía. De él se conocen algunos epigramas en latín, un centón y dos sonetos. Vale uno de éstos, el "Soneto a Sigüenza y Góngora", por su lujosa ornamentación, desarrollo barroquísimo del soneto petrarquista.

Pero la estela de Góngora no fue la única; todavía tenían su séquito Calderón y Lope. Ni tampoco era lo de menos el frecuente eco del jocoso español Anastasio Pantaleón de Ribera, maestro de la agudeza y la risa. Se percibe su voz en las divertidas bromas del "Romance" de IGNACIO DE SANTA CRUZ ALDANA. Aparece dicho romance en las *Reales fiestas* por la mayoría de edad de Carlos II (1677). Mezcla de erudición burlona, giros vulgares y juegos de palabras, este romance se hace muy grato al lector fatigado de tanta retórica hueca.

> Erase, pues, que se era
> de noviembre a veinticinco
> una noche y estos versos,
> ella helada y ellos fríos...

Las tan variadas corrientes poéticas de la segunda mitad del XVII se encuentran como resumidas en la obra de ALONSO RAMÍREZ DE VARGAS, obra que se extiende desde 1662 hasta 1696. Incluye una serie de arcos dedicados a personas principales de la corte virreinal, pero lo que más nos interesa es el eclecticismo de su lírica. Gongorino como el que más, no perdió la oportunidad de burlarse de la moda, como en los siguientes versos de sus quintillas de "La Sequía... en 1668":

> ...a la Madre de Memnón,
> a la Esposa de Tithón,
> (entendámonos: al Alba).

Hombre cultísimo, escribió unos raros "Villancicos de la Natividad de María", donde al gusto por el esdrújulo va unido un sabor popular muy a la manera de Lope de Vega. Conviene, además, destacar cierta veta indigenista en su verso. Emplea a veces términos de origen náhuatl, pero no los salpica al azar. En la "Relación de los fuegos", de 1691, se encuentran tales palabras desempeñando una función poética de rima y ritmo. No es, pues, mero color local. Aquí, como en Alva Ixtlilxóchitl, aunque de distinta manera, surge lo indígena del alma mexicana.

Como muestra de la siempre viva tradición bíblica señalemos las décimas del "Pacto con los sentidos", del jesuíta poblano NICOLÁS DE GUADALAJARA (1631-1683). Son versos poderosos de riguroso ascetismo, todo armado de "...cilicio acerado...", de mortificación carnal.

Así, pues, terminamos nuestra ojeada a la poesía del siglo XVII, siglo que bien merece llamarse "de oro" tanto en México como en España, contando con valores tan altos como Balbuena, el padre Bocanegra, y Sandoval Zapata, coronado con la inmortal Sor Juana, quien de acuerdo con las palabras de Méndez Plancarte, no fue "...Décima Musa en un desierto sino una Reina en una corte lírica que la merece y la realza".

F. SIGLO XVIII: SUPERVIVENCIA DEL BARROCO

De todos los siglos, el menos fecundo en poesía mexicana es el XVIII. Versificadores sí los hubo, pero la mayor parte de ellos carecía por completo de ese gusto inasequible que diferencia al poeta del poetastro. Sigue imperando el gongorismo, pero es un gongorismo tan gastado que raras veces asoma en él un destello fugaz, un eco casi perdido de Sor Juana, Calderón, Góngora...

La personalidad del siglo es otra. Lo que en Sor Juana fuera comienzo de un interés científico es ya característica sobresaliente de la época. Empiezan a cobrar interés los asuntos científicos; ya en el siglo XVII Sigüenza y Góngora es matemático, astrónomo, ...y poeta de mediana calidad. La chispa de su poesía está sujeta al frío esplendor del intelecto.

Como reacción al barroco y a la vez como corolario de la orientación científica, aparecen dos corrientes nuevas: el prosaísmo y el neoclasicismo. De éste se hablará en el capítulo siguiente; de aquél poco se dirá, de acuerdo con el criterio de Pedro Henríquez Ureña, quien llama a los miembros del grupo "hombres insignificantes y debidamente olvidados."

Entre los poetas de la primera mitad del siglo destaquemos a LUCAS FERNÁNDEZ DEL RINCÓN (1685-1741). De su delicada y fina obra, nos parece lo más acertado las quintillas a "La brevedad de la rosa", donde un lejano eco de Calderón no oscurece el sombrío acento personal del poeta guanajuatense.

Otro lírico a quien debemos señalar es JOAQUÍN VELÁZQUEZ DE CÁRDENAS Y LEÓN (1732-1786). Notable astrónomo y matemático, nos legó dos sonetos gongorinos que, si bien carecen de fuerza e inspiración, tienen, por lo menos, cierta elegancia y garbo.

No se dejó de escribir poesía épica, aunque hay algunos que creen que hubiese sido mejor no escribirla. De 1755 es la *Hernandía*, de FRANCISCO RUIZ DE LEÓN, otro intento de cantar las proezas de Cortés. En rigor no es más que una versión rimada de la *Historia de la Conquista de México,* de Antonio de Solís, a la que a veces sigue casi textualmente. De Virgilio no aprendió Ruiz de León más que las palabras tradicionales del comienzo. Estamos de acuerdo con el autor cuando termina por decir que su plectro pulsó mal el instrumento. Ya el aliento fatigado del que habla no es el suyo, sino el del lector. Bajo la capa de los alardes mitológicos no se alcanza a ver más que un prosaísmo desesperante. Otra obra de Ruiz de León es *Mirra dulce para aliento de pecadores;* relata los dolores de la Virgen ante el hijo crucificado. Más espontáneo que la *Hernandía,* está emparentado con el neoclasicismo.

Y así dejamos sin nostalgias este aspecto del XVIII. De otro, más interesante y más fértil, se hablará en el capítulo siguiente.

IV

NEOCLASICISMO. SIGLO XVIII Y ÉPOCA DE INDEPENDENCIA

Epoca de transición es el siglo XVIII. Coexistiendo con las postreras manifestaciones de un barroquismo venido a menos, encontramos los tibios comienzos de un neoclasicismo que duró breves años y desapareció sin regalarnos más que un reducido caudal poético. Aparte del barroco, se distinguen dos tendencias: la primera y más valiosa es el humanismo, la obra de los jesuítas, que tanto contribuyeron al cultivo de las letras y quienes, después de ser expulsados, cantaron su nostalgia desde tierras lejanas. La segunda dirección es el neoclasicismo, que siguió un clasicismo teórico muy de segunda mano. Imitadores de los españoles que a su vez habían imitado a los franceses, pronto los neoclásicos dejaron de tener vigencia al estallar las luchas de Independencia.

Y es en este momento decisivo de la historia mexicana, cuando por primera vez la voz del pueblo habla por boca de los poetas cultos. Surgen la sátira, la fábula, el folleto; abunda el canto cívico. Cambian los modelos, y una vez conquistada la libertad nacional, se prepara el advenimiento del Romanticismo.

CONSULTAR

Corbató, Hermenegildo. "La emergencia de la idea de la nacionalidad en el México colonial". *Revista Iberoamericana*, México,

vol. VI, núm. 12 (mayo, 1943), págs. 377-392. Méndez Plancarte,
Gabriel, sel. e intr. *Humanistas del siglo XVIII.* México, Edic. de
la Universidad Nacional Autónoma, 1941. (Aunque en rigor el
libro trata sólo de los prosistas y no de los poetas, la introducción
es de importancia capital). Monterde, Francisco. *Fray Manuel Navarrete y sus poesías profanas en el prerromanticismo.* México, Edic.
de la Universidad Nacional Autónoma, 1941. Miranda, José y González Casanova, Pablo, eds. *Sátira anónima del siglo XVIII.* México, Fondo de Cultura Económica, 1953. Urbina, Luis G., Henríquez Ureña, Pedro, y Rangel, Nicolás, eds. *Antología del Centenario.* Pról. de Urbina. 2 vols. México, Imp. Manuel León Sánchez, 1910.

A. LA CONTRIBUCIÓN JESUÍTICA

Mientras siguen cantando su melodía algo destemplada
los últimos gongorinos, surge en el siglo XVIII una de las
más poderosas obras intelectuales de toda la cultura mexicana: el humanismo de los jesuítas. No es la usual alusión
mitológica del barroco, alarde de cultura adquirida, frecuentemente, de segunda mano. Estos clérigos son verdaderos humanistas; sus recreaciones filológicas, literarias y filosóficas estaban destinadas a hacer de sus practicantes verdaderos ciudadanos del mundo. Ni tampoco fue academismo de torre de marfil. Gran parte de la vida intelectual de
la época tenía como foco los colegios de jesuítas.

Puede parecer paradójica la teoría de que el sentimiento nacional mexicano haya nacido, o mejor dicho, crecido
enormemente, en la obra de algunos desterrados, quienes
residen en Italia y escriben, los más de ellos, en latín. Y
sin embargo, estos desterrados se sienten mexicanos. Bu-
cean gozosamente en lo nacional; escriben sobre la cultura indígena, y uno de ellos, el guatemalteco Landívar, sin-
tetiza el paisaje mexicano en un poema que Menéndez y
Pelayo calificó como uno de los mejores poemas modernos
en latín: la *Rusticatio mexicana.*

El descontento suscitado por el decreto de expulsión contra los jesuítas es comprensible al leer frases como las siguientes, tomadas del bando promulgado por el Virrey D.

Carlos Francisco de Croix: "...pues de una vez para lo venidero deben saber los súbditos de el gran Monarca que ocupa el trono de España, que nacieron para callar y obedecer y no para discurrir, ni opinar en los altos asuntos del Gobierno". No pasó inadvertida tal muestra del despotismo atrasado bajo el cual sufría México. Corrían las sátiras subrepticias; como respuesta, a los autores de tales sátiras se les condenaba a prisión. Estalla la indignación popular. La brecha en la solidaridad hispánica se ensancha; el fuego se acerca a la leña.

B. LOS POETAS JESUÍTAS

Pero volvamos a los jesuítas. Aunque no cuadre exactamente dentro de los límites de nuestro trabajo, sería injusto pasar por alto su labor poética, y en especial este himno a México que es la *Rusticatio mexicana* de Landívar. Al hablar de **RAFAEL LANDÍVAR (1731-1793), nos encontramos en la situación, algo desconcertante, de tratar como mexicano a un guatemalteco residente en Italia y que escribe en latín. Sin embargo, nada más mexicano que la obra de este profesor de retórica y filosofía. Está empapada del paisaje mexicano. Puede dividirse en tres partes: 1. Los libros del paisaje, o sea los que hablan de los lagos, las cataratas, los volcanes, los ganados, los castores, las fuentes, el azúcar, etc. 2. Los libros didácticos, o sea los que tratan de la industria minera, el añil y otras empresas. 3. Los libros esencialmente americanos, o sea los que contienen elementos distintivos: aves, fieras, juegos... El primer grupo no se diferencia radicalmente de cualquier paisaje clásico. Excepción hecha de alguna voz indígena o algún asunto regional, el paisaje es idealizado, objetivado. Los libros didácticos tienen interés, aunque no ciertamente poético. La ardua tarea de poetizar la minería es demasiado para cualquiera.

Los que justifican que se le llame "mexicano" son sus libros de más alto nivel poético: los "americanos". No cabe la menor duda respecto a la ubicación de sus temas. Caballos briosos y otros animales, todo es muy mexicano. Las mismas palabras están impregnadas del vivo anhelo de volver a ver peleas de gallos y hasta de oír a lo lejos el aullido del coyote.

Como antecedente de la *Rusticatio* se ha señalado las *Geórgicas* de Virgilio. En un excelente ensayo, María del Carmen Millán ha subrayado la semejanza fundamental de las dos obras: son, más que descripción exterior, amorosa interpretación. Bajo lo meramente pintoresco y formal, el poeta ha penetrado hasta el alma de su mundo para expresar la vida que allí late.

Interesa comparar la *Rusticatio* con otro himno a la realidad nacional, la *Grandeza mexicana,* de Balbuena. Aparte de que aquélla trata del campo y ésta de la ciudad, difieren en que la *Grandeza* tiene visión barroca: el mundo pasa velozmente en su brillo bullicioso: amontonando imágenes. La *Rusticatio,* más lógica, más sobria, se detiene para describir minuciosamente las cosas. Lo cual no impide que Landívar encuentre el secreto de la materia y lo resuma en imágenes magistrales:

Así aquel manantial por secretos
pasajes, fugitivo, cumple su anhelo
de lograr el contacto del aire.

LECTURA: Selecciones de los Cantos X-XV de *Rusticatio mexicana.*

CRÍTICA: Millán, María del Carmen. "El paisaje objetivo". En: *El paisaje en la poesía mexicana,* págs. 81-101. *Por los campos de México (Rusticatio mexicana).* Prólogo, versión y notas de Octaviano Valdés. México, Edic. de la Universidad Nacional Autónoma, 1942.

Ilustre humanista fue DIEGO JOSÉ ABAD (1727-1779), catedrático de filosofía, derecho, retórica y teología, estudiante de medicina y matemáticas. Además de su variada obra de carácter científico, escribió un poema latino en veintinueve cantos, el *Heroica de Deo carmina*.

Menéndez y Pelayo lo ha calificado como una suma teológica y vida de Cristo; censura ciertos noelogismos, los cuales, después de todo, fueron imprescindibles, puesto que los romanos no solían discutir las agudezas de la doctrina católica. Encuentra Menéndez y Pelayo resabios gongorinos en el estilo, pero alaba el vuelo lírico de algún apóstrofe y, sobre todo, la elevación y mesura de la visión del poeta.

Autor de inmenso caudal humanista fue FRANCISCO JAVIER ALEGRE (1729-1788). Además de escribir tratados de matemáticas, geografía, teología y una historia de la Compañía de Jesús en Nueva España, tradujo la *Ilíada*, algunos fragmentos de Horacio, y los tres primeros cantos del *Arte poética* del crítico francés Boileau; escribió también un poema épico sobre Alejandro Magno. Entre todo esto, gran parte de su fama radica en la traducción de la *Ilíada*. Según Menéndez y Pelayo, es un poema excelente, aunque excesivamente refinado, lejos del aliento bárbaro de Homero. Resulta como si Alegre hubiera seguido a Virgilio imitando a Homero.

Lo más conocido de su obra es la égloga "Nysus", en la que imita la segunda égloga de Virgilio; fue traducida al español por el padre Pagaza. Es de un marcado sabor a Eslava y, más allá, al *Cantar de los cantares*.

Conocido como biógrafo del humanista Clavijero es el veracruzano JUAN LUIS MANEIRO (1744-1802). A diferencia de los otros desterrados, logró volver a México; también a diferencia de ellos, escribió poesías en español, nueve obras breves que sólo se publicaron en 1942. Reflejo de la actitud del poeta ante la inesperada expulsión, muestran claramente el sentimiento nacional de que hemos hablado.

En lo formal, estos poemas pertenecen al gusto neoclásico que ya empezaba. Los personajes se mueven por jardines versallescos cuidadosamente recortados y carecen de aliento y vida. De vez en cuando surge alguna reminiscencia de Sor Juana:

> ...la alegría
> en que rebosa el pecho por los ojos.

Ni falta el rezago conceptista:

> ...que lo que fuí ya no soy
> ni sé ya lo que sabía.

Sólo cobra vida esta poesía artificiosa, cuando el hombre afligido recuerda el gozo de estar en su tierra. En las octavas de "Envidiando Eurialo la suerte que detesta Filis", el padre Maneiro contesta a las quejas de su hermana, que vive cerca de Tacuba, cuyos horrorizados lamentos trató el propio vate en otro poema, con una desnudez sorprendente dentro de este cuadro acaramelado. Se yergue su respuesta como bandera centelleante del criollismo:

> ¡Yo cedo por Tacuba, pueblo inmundo,
> Roma, famosa Capital del mundo!

No nos extrañe, pues, que pocos años después, este mismo espíritu nacional no quisiera ser ya más de colonia de imperio sino tener existencia propia.

C. LOS NEOCLÁSICOS

Lo mismo que hacían los humanistas jesuítas en latín, trataban de hacer los poetas mexicanos en lengua española: imitar a los poetas clásicos. Intentaban hacerlo, pero con resultados casi siempre desdichados. De igual modo que casi todos los neoclásicos de Occidente, cayeron en el error de creer que los griegos y los romanos escribieron según reglas fijas; es decir, con los ojos puestos en un libro de retórica. Error capital, puesto que quien conozca siquiera someramente la literatura clásica sabe muy bien que tal método jamás hubiera podido producir un Homero, un Sófocles, un Virgilio. Pero precisamente ahí está la razón del error: los neoclásicos mexicanos, a pesar de la labor de los jesuítas, poco sabían de la literatura clásica. Su clasicismo vino de la impostura de otras fuentes: el neoclasicismo español, en primer lugar.

A fines del siglo XVIII, aparece esta tendencia mezclada con los últimos suspiros de un barroquismo moribundo. Ejemplo de esta poesía de transición es la obra de CAYE-TANO CABRERA QUINTERO, muerto hacia 1775. En él tuvo resonancia el humanismo de los jesuítas; escribió en español y en latín, tradujo a Horacio y a Juvenal, escribió gramáticas de las lenguas hebrea, griega y mexicana. En su poesía, sin ser gongorino consumado ni mucho menos, todavía se perciben ecos del cordobés. Suelen estos ecos ser lo mejor de la obra del mexicano; así esta imagen de la *Vida de San Francisco de Asís*:

> El cuervo, ébano volátil,
> en mordaz tinta teñido,
> en la nieve del silencio
> lavar sus manchas previno.

Sin embargo, el estilo de Cabrera Quintero media entre los extremos del gongorismo decadente y el prosaísmo aburrido de una reacción sin cuajar.

Ejemplo concreto de la influencia de Landívar es el "Rapto poético" de JUAN CASTAÑIZA (1756-1825). Aunque a nadie se le ocurriría llamarlo más que poema mediocre, entre los versos dedicados a cantar las glorias de Carlos IV aparecen otros donde se aprecia cierto garbo en las enumeraciones de productos de la tierra mexicana.

Pero muy pobre es la cosecha si se busca verdadera poesía. Brilla por su lamentable ausencia durante casi un siglo, hasta que llega a México el llamado "buen gusto", ese arte de escribir según las reglas. Esta "restauración del gusto" vino de España, en la obra de Luzán, de Meléndez Valdés, Cadalso, los Moratín... Preceptista fue Luzán; su *Poética*, inspirada en la del italiano Lodovico Muratori y la del gran teórico del neoclasicismo francés, Boileau, atacó a toda la literatura barroca por haber olvidado las reglas aristotélicas. Hasta el punto de olvidar a Calderón, a Góngora y a tantos otros más, llegó esta fe ciega en el poder creador de la razón fría.

A la vez, surge en España el interés por la poesía del siglo XVI. Al estilo de la llamada "Escuela de Salamanca", los neoclásicos, encabezados por Meléndez Valdés, toman nombres pastoriles —Delio, Aminta, Liseno— e imitan a Fray Luis y Garcilaso. Leen a los clásicos de la poesía bucólica y erótica. Influyen también los franceses y la melancólica voz del inglés Young. De esta mezcla, resulta una poesía dulce, melancólica, artificiosa. Y todo ello pasó a México en los libros de Meléndez Valdés y su séquito. Junto a ellos, aparecen las figuras de Gallego, Cadalso —importante en el desarrollo de la creciente corriente satírica— y Quintana, antecedente de los poetas civiles de la Guerra de Independencia.

Nada mejor que la Arcadia para demostrar la naturaleza fundamentalmente estéril de esta corriente. Formada hacia 1808 por José Mariano Rodríguez del Castillo, funcionó como sociedad literaria, muriendo poco después de estallar la guerra. Siguiendo el modelo español, los árcades tomaron nombres "arcádicos". Aparecieron sus poesías en el *Diario de México*, primer periódico diario de la Nueva España. Pronto se convirtió éste en órgano principal de la literatura mexicana; sus colaboradores fueron en mayor o menor número, los mismos árcades.

La Guerra de Independencia señaló rumbos nuevos para el *Diario*; dejó de ser portavoz de la Arcadia para convertirse en el principal órgano liberal. Pero ya antes había desaparecido el neoclasicismo mexicano. Los poetas abandonaron a sus Lisis y sus Doris, y el canto cobró resonancias de poesía civil. Todavía la forma es clásica, pero los ritmos marciales y el pensamiento libertador, liberal, señalan la pronta aparición del Romanticismo.

"Mayoral" de la Arcadia fue el padre michoacano JOSÉ MANUEL MARTÍNEZ DE NAVARRETE (1768-1809). No llegó a publicar su obra poética sino hasta 1806; en dicho año aparecieron sus primeros poemas en el *Diario de México*. Se divide esta obra lógicamente en dos partes: la pastoril y la elegíaca; parecen haber sido escritas en dos épocas distintas. Pertenece lo pastoril a la juventud; la elegía corresponde a la madurez. En el primer período escribió Navarrete églogas a lo Garcilaso, e imitaciones de Meléndez Valdés. Pero a Navarrete le faltaban el sensualismo y el sentido del paisaje. No fue lo bastante poeta para crear grandes paisajes idealizados como los de Garcilaso; no entendió el fuego de las pasiones. Su campo resulta, pues, una especie de arabesco estático, sin vida y sin amor, a despecho de los artificiosos requiebros de los pastores. De este primer período pudiera servir de arte poética la oda segunda de "Las Flores de Clorila":

> Heme de holgar ahora
> con algunos versitos...
> Mas de modo, que siendo
> de mi Clorila dignos,
> lo sean también de todos
> los honestos oídos.

A tal insipidez siguen las elegías de la segunda etapa: los "Ratos tristes", la "Noche triste" en la muerte de su madre. El almibarado pastor ha sido reemplazado por el meditabundo ante la luna, al estilo de Edward Young; por el pesimista a lo Cienfuegos. Ejemplo de lo anterior sería el "Rato XVI. Mi retiro", cuando el poeta vela "...la noche que otros duermen... / acompañado sólo de mi llanto...". Patente aquí es el naciente romanticismo. A veces, esta amarga visión se intensifica; sale fuera de cronologías para colocarse al lado del más frenético romanticismo, como en "Noche triste", todo "sepulcros cavernosos" y "recintos pavorosos".

Aparece el sentimiento bucólico en un solo poema: "La mañana". No tiene semejanza alguna con los juguetes de la primera etapa; en este poema Navarrete sintió el alma del paisaje. Ni tumbas ni Doriselas melindrosas, sino regocijados himnos campestres al

> ...eterno
> autor que baña tu semblante hermoso
> de tan alegre luz por la mañana.

Si la honda impresión causada por estos poemas nos parece inexplicable hoy, hay que confesar que superan a todo lo que se había escrito durante largos años. Desgraciadamente este intento restaurador fracasó; la tenue luz vital de Navarrete parece casi deslumbrante en las tinieblas poéticas del neoclasicismo.

Si su poesía mereció que al presbítero JOSÉ MANUEL ANICETO SARTORIO (1746-1829) lo llamara Luis G. Urbina "chabacano y fofo", en cambio sus dotes de hombre sencillo y recto siempre le merecieron elogios. Simpatizador de la Independencia, su conducta durante la guerra fue ejemplo de rectitud.

De su obra hay que rechazar casi todo: poesía insulsa, muchas veces de encargo. Así el "Epitafio a un perro llamado el Mono" y demás versos antipoéticos. Así también los versos amorosos, ejercicios y poemitas de escuela. Pero, paradójicamente, este autor de fruslerías completamente faltas del menor soplo de inspiración, escribió también poesía mariana. Esta, mística y sensual, difiere increíblemente de los poemitas caseros que solía labrar. De repente ve el mundo transformado en una única representación de la Virgen; y después de tantos años vuelven a sonar el *Cantar de los cantares* y la voz de San Juan, en la obra de un pedestre versificador mexicano.

Al sonar el Grito de Dolores, el melifluo canto de los árcades cesó; sus autores se empeñaron en despertar el patriotismo y satirizar a los españoles. Ya no les interesaba lloriquear tras doncellas, sino predicar a gritos las virtudes nacionales y los derechos del hombre. Entre los poetas civiles se destacan tres: Quintana Roo, Sánchez de Tagle y Ortega. Vive el ferviente revolucionario yucateco ANDRÉS QUINTANA ROO (1787-1851) toda una novela romántica; sin embargo, su obra, tanto en prosa como en verso, es neoclásica. Más que poeta, es versificador político, aun en las estrofas "horacianas" de su oda al "Dieciséis de Septiembre".

Tres son los temas predilectos de FRANCISCO ORTEGA (1793-1849), quien, como Quintana Roo, se dedicó a la política una vez ganada la Independencia. La poesía amorosa recuerda la de la Arcadia; todavía andan los zagales en pos de Delias. En la religiosa y la civil, se alza por encima del nivel medio la oda "A Iturbide en su coronación"; a pesar de la retórica razonada, tiene alguna estrofa donde la ira patriótica infunde vida a la acostumbrada mesura poco inspirada. En la religiosa, lo mejor de Ortega es la "Venida del Espíritu Santo"; como casi la totalidad de su obra, es algo fría. Se salva por un Satanás miltoniano muy lejos de los propósitos del autor.

A Ortega se le ha llamado poeta prerromántico. Quizá fuera más exacto decir que dejaron en él un eco suyo Lamartine y Rousseau, a los cuales tradujo. Salvo este eco vago, sería difícil apuntar elementos románticos, si no es en la técnica de algunos poemas, donde mezcla los ritmos más diversos. En todo caso, no deja de ser neoclásico, con todos los defectos de tal escuela.

El que sí llegó al neorromanticismo fue FRANCISCO MANUEL SÁNCHEZ DE TAGLE (1782-1847), hombre de saber enciclopédico. La formación clásica no impidió que hallase eco en su poesía el romanticismo de Lamartine. Ni los versos arcádicos de la primera juventud ni los coruscamientos de Quintana, que dejaron su huella en los poemas maduros, esconden el pesimismo sentimental que anida en el fondo de su obra. Sánchez de Tagle dista mucho de ser gran poeta, pero entre la frialdad formalista y la palabrería se vislumbra de vez en cuando una emoción desnuda; a veces aparece una amarga oda a la luna, para subrayar el esencial romanticismo de este poeta de transición.

Dos poetas menores del neoclasicismo son JOAQUÍN MARÍA DEL CASTILLO Y LANZAS (1801-1878) y RAMÓN QUINTANA DEL AZEBO. Tradujo Castillo y Lanzas a Byron, pero este interés tuvo escasa influencia en su poesía. Su fama se basa en el "Canto a la victoria de Tamaulipas", imitación del "Canto a Junín", de Olmedo; por otra parte, en el soneto "El recuerdo", dentro de un cuadro ameno, aunque poco original, hay una clarísima resonancia de Garcilaso. Quintana del Azebo, árcade como el que más —no se contentaba con un seudónimo, sino que gozaba en llamarse "Anatnik", "Mr. Noa" y "El tío Carando"—, destaca por algunos versos pesimistas de la "Oda libre al sueño", donde aparece el naciente romanticismo.

D. LA SÁTIRA

Entre los cultivadores del género figuran muchos árcades; los examinamos aquí porque, en la mayoría de los casos, carecieron de suficientes dotes poéticas para merecer que se les nombrase como verdaderos poetas del neoclasicismo. La sátira precisa agudeza; el estro poético poca falta le hace. Los orígenes de la sátira política se hallan en los escritores satíricos españoles, padres del costumbrismo. Al dirigir los mexicanos sus flechas hacia los "currutacos", los españoles y la moral, crearon un costumbrismo mexicano, regionalista. Mientras los poetas civiles hicieron reso-

nar sus estrofas altisonantes, pero fugaces, los satíricos
—¡y el pueblo, pues abundaba el dardo anónimo!— for-
jaron un arma que no fue de las menos eficaces en la lucha.

De esta caterva sobresale ANASTASIO MARÍA DE
OCHOA Y ACUÑA (1783-1833), el mejor poeta festivo de
su época. Miembro de la Arcadia, se mostró tan convencional como los demás. Suenan en sus versos los neoclásicos
y los poetas del siglo XVI. En el soneto "De mis amores y
sus efectos" hay una leve memoria petrarquista. Su poesía
de este período es algo fría y amanerada, pero apuntan los
asomos de la agudeza que más tarde había de caracteri-
zarle en el juego amanerado de poemas como "Al espejo
de Silvia".

En el género festivo encontró Ochoa su vena. Urbina
señala acertadamente los modelos: Lope, e Iglesias de la
Casa, en los epigramas y letrillas; el Góngora popular, Quevedo. Los temas predilectos son los abusos sociales; dispa-
ra contra los "currutacos" y la moral, sin que se olvide de
zaherir a los españoles. Muchas de sus sátiras están hechas
a base de giros populares: "Friolerilla", "Ahí me las den
todas", "¡Ay, qué chulada!". Con el pueblo se burla del
"currutaco" ridículo:

"¡Contradanza!" gritó con voz insana...

No queda lejos ni en tono ni en valor, de los versos del padre Isla:

Yo conocí en Madrid una condesa
que aprendió a estornudar a la francesa.

Aunque presbítero, la sátira moral de Ochoa es poco religiosa. Suena más a cínico divertido que a predicador cuando censura los sudores "De Mariquita" o se ríe del "Espu-
tar equivocado". Más que una conciencia religiosa, habla
por boca de Ochoa el mismo pueblo que produjo al Periquillo.

Uno de los subgéneros más corrientes fue la fábula. Llegada al mundo occidental procedente de lejanos países de la remota antigüedad, encuentra nueva vida en Samaniego e Iriarte. Estos, reaccionando a los excesos culteranos y conceptistas, escriben fábulas morales de intención didáctica. Los mexicanos se sirven de ella para satirizar a los españoles; mantienen la ficción de que los personajes son animales, pero queda muy claro a quiénes representan estos últimos.

Entre los más destacados fabulistas figura el ilustre "Pensador", JOSÉ JOAQUÍN FERNÁNDEZ DE LIZARDI (1776-1827). Autodidacta, bebió en la fuente de la Enciclopedia francesa; su apoyo a los francmasones le valió la excomunión. No conoció límites el atrevimiento de este apasionado liberal; a pesar de que apenas había evitado la prisión por supuesta complicidad en la entrega de Taxco, y a pesar de habérsele detenido a causa de una sátira en contra del virrey Venegas, nunca dejó de atacar a la opresión.

No es éste el lugar para hablar de la labor periodística de Lizardi, ni de sus folletines. Cultivó la novela y escribió para el teatro. Moralizador infatigable, fue imitador afortunado del fabulista Samaniego. Aun en temas tan manidos como "Hipócrates y la muerte", su sátira nunca pierde mordacidad ni la moraleja. En su obra más pretenciosa, se muestra poco poeta, doliente de los males de la época. A veces vuela un poco más alto, como en el "Himno a la Divina Providencia", pero aun aquí lo que nos atrae es la sincera fe del hombre humilde y no la poesía en sí. El valor poético de Lizardi es otro: el sabor popular. Se siente mexicano como pocos; su manera de hablar es mexicana. En sus versos, como en el *Periquillo*, hierven todos los tipos de la calle, y en su voz se oye lo que más tarde será la *Musa callejera*.

En esta época abundaban los poetas de segunda categoría. Entre los de relativa importancia está el padre JOSÉ

AGUSTIN DE CASTRO (1730-1811). Escribió de todo: hagiografía, teatro religioso, poesías cultas, sátiras en verso, poemas de sabor popular. Estos últimos son los que sobreviven; se esfuerza su autor por emplear el lenguaje popular, sabroso, pintoresco. Hace fructificar esta tendencia en dos piezas en un acto: *Los remendones* y *El charro*.

Entre los fabulistas de segundo rango está LUIS DE MENDIZÁBAL, teólogo potosino y autor de "El asno, el caballo y el mulo", fábula en la cual echa la culpa de la pretendida maldad de los mexicanos a los españoles:

> ...pero ellos son, mis señores,
> hechuras de vuestras manos.

Otro fabulista es el oriundo de Taxco MARIANO BARAZÁBAL, autor de varios epigramas picantes y un canto, "Trafalgar y Buenos Aires", del cual ni siquiera algunos trozos se pueden leer. Mejor es JUAN MARÍA LACUNZA, imitador de Meléndez Valdés y Navarrete, poeta erótico cuya obra acusa conocimiento de los *Salmos*, costumbrista en poemas tales como "Conducta de moda".

Este, pues, es el cuadro de la poesía neoclásica en México. De caudal muy reducido, se salva por Navarrete, por muy poco de Sartorio y por unos pocos versos aislados de otros autores. Después de una Arcadia débil, la poesía se refugió en el costumbrismo, el folklore, la fábula. Se ganaba la Independencia, mientras la poesía cedía el paso a intereses más apremiantes.

V

DE LA INDEPENDENCIA AL MODERNISMO. ROMANTICOS Y CLASICOS.

Poco alentador es el panorama de las letras en México al consumarse la Independencia. Durante la guerra, la literatura guardó silencio; los hechos inmediatos no dejaron lugar para las artes. La poesía se volvió sátira u oda civil, la novela calló. Tampoco podemos hablar de teatro. Dura este espectáculo desconcertante más de una década, sin otro alivio que las voces de transición de Ortega y Sánchez de Tagle. El mejor poeta de estos años en México no fue mexicano, sino cubano; es el malogrado exiliado José María Heredia. Aunque sería interesante hacer un estudio detallado de la contribución de este cubano a la nueva corriente —quien, por otra parte, mucho tenía todavía de neoclásico—, no parece haber sido más que un átomo de las nubes románticas que lentamente se formaban.

Ya los neoclásicos habían traducido a Lamartine y a Byron. Cuando México reaccionó contra el imperio político español, otro tanto sucedió en la literatura. Después de un breve período confuso y desorientado, los mexicanos volvieron los ojos hacia Francia, pero esta vez con completa libertad, sin las cortapisas de un colonialismo censor. Y ahora sí que corrían las traducciones; en cuanto aparecieron los libros de Sué, Chateaubriand, Hugo, Dumas y los demás románticos franceses, fueron vertidos al español. Después de tanta insulsa anacreóntica, los jóvenes mexicanos eran campo feraz para esta corriente renovadora de allende el mar. Por otra parte, la vida de México se hallaba ya sumida en pleno romanticismo: la lucha por la Independencia, los gobiernos que subían para ser derrocados, las conspiraciones, la guerra entre liberales y conservadores. ¿Quién puede imaginar ambiente más propicio para el florecimiento del romanticismo literario?

Pues bien; ¿qué es este romanticismo de que tanto se habla? Si hubiera que definirlo en una frase, se podría decir que el romanticismo, tal como se vivió y se escribió en el siglo pasado, fue la exaltación del yo individual frente al mundo exterior. Los pensadores racionalistas habían sembrado la semilla de la Revolución Francesa; ahora su racionalismo decaía, aun cuando en la nueva escuela sobrevivía su liberalismo político. El universo no fue para los románticos la máquina perfecta y eterna, ni tampoco pudieron ellos aceptar la intervención divina. La misma estructura de la vida había cambiado; no le quedaban bases. El hombre sintió la necesidad de buscar lo divino, lo perfecto, dentro de sí.

Esta búsqueda dentro de la personalidad de cada uno, produjo resultados sumamente diversos. A veces el poeta creía encontrar la esencia de la existencia: Baudelaire. A veces llegó a la glorificación absoluta del impulso irracional: Sade. En la obra de verdaderos poetas el romanticismo alcanzó grandes cimas estéticas; pero pocos fueron los que llegaron a estas alturas. En manos de una caterva de versificadores sentimentales, la nueva escuela degeneró en lloriqueos y blasfemias superficiales.

La poesía romántica se caracteriza por su violenta reacción contra las reglas, por la entronización del sentimiento —y del sentimentalismo—, por su lenguaje arrebatado y apasionado. Como en la existencia, el romanticismo literario es un modo de ser, de hacer frente a la vida. Si a ratos era desvarío, traía en cambio a las letras moribundas un nuevo aliento, una nueva sangre que, si en México no produjo lo que en otros países, abrió el camino para el pre-modernismo de Gutiérrez Nájera y Díaz Mirón.

No fue el romanticismo la única corriente de importancia; tuvo que compartir la gloria con el clasicismo. Este apareció en diversas formas, siendo las más importantes la imitación de poetas del Siglo de Oro —Fray Luis de León, principalmente— en la poesía de Carpio, Pesado, Arango y Escandón, y en el clasicismo formal con el cual el grupo de Altamirano vistió su contenido romántico. Como se ve, la poesía no se divide en escuelas claramente definidas. Coexisten varias tendencias, y a veces se mezclan; Ramírez, por ejemplo, escribió poemas de forma clásica pero con un vehemente romanticismo en su contenido.

En este período, la poesía se desarrolla en torno a tres academias: la de Letrán, el Liceo Hidalgo y la Sociedad Netzahualcóyotl. La fundación de la Academia de Letrán en 1836 señaló la primera tentativa de sacudir el letargo en que yacía la literatura. No fue un centro de conspiraciones románticas; nada más ajeno a los propósitos de los fundadores José María Lacunza y Guillermo Prieto. Sólo quisieron llevar un poco de aire fresco al estancamiento en que se hallaba la poesía. Entre los miembros había conservadores y liberales, tanto en política como en literatura. En un aula del Colegio de San Juan de Letrán se reunían de costumbre los salmistas: Pesado y Carpio; Arango y Escandón, quien cantaría con la voz de Fray Luis; los jóvenes románticos Calderón y Rodríguez Galván; el dramaturgo Manuel de Gorostiza; y el indómito abogado de los derechos del hombre: Ignacio Ramírez.

En 1849 se fundó el Liceo Hildalgo, que venía a ser más bien cruzada nacionalista que sociedad literaria. Sus miembros siguen el pensamiento de Ramírez; se dedican, además, a los estudios filosóficos de última hora. En poesía intentan fundar una literatura nacional; reaccionan en contra del academismo de los supervivientes de la Guerra de Independencia y del romanticismo quejumbroso de algunos jóvenes de la Academia de Letrán. Formaron el grupo de la cruzada: Guillermo Prieto, Ignacio Ramírez, Francisco Pimentel, Juan de Dios Peza, José María Vigil, José Rosas Moreno, Vicente Riva Palacio, Agustín F. Cuenca, Manuel Acuña, Manuel M. Flores, y otros. Entre ellos figura también el maestro Ignacio M. Altamirano.

En lo que toca estrictamente a la poesía, el grupo de más importancia fue la Sociedad Netzahualcóyotl, formada en 1867. Empapados en las más nuevas corrientes literarias e inspirados en los propósitos del Liceo Hidalgo, los jóvenes de la Sociedad buscaron el camino que los llevara a la verdadera poesía mexicana. De aquí que no se inspiraran ya exclusivamente en la poesía francesa; resonaba todavía el eco de Hugo y algunos otros, pero también se oían el delicado canto de Bécquer, las seudofilosofías de Campoamor, el arrebato de Espronceda y la sonoridad de Zorrilla. De la Sociedad Netzahualcóyotl salieron los últimos románticos, inclusive el más grande de todos los románticos: Manuel Acuña. Contemporáneo suyo fue Manuel M. Flores; al mismo tiempo, flotaba ya en el aire, como presentimiento de música lejana y bella, el premodernismo de Agustín F. Cuenca.

Entretanto, sobrevivían el clasicismo y el seudoclasicismo. Surge en este período el gran bucólico mexicano, el padre Pagaza, destacándose entre los que buscaban la expresión clásica. Sin embargo, no fue esta corriente clasicista tan importante como otra: la popular. Aunque no es éste el período de su apogeo en México, sí es la época en que cobra interés estético, ya que hasta los poetas cultos vuelven los ojos y la pluma hacia esta producción del pueblo. De ella se hablará detenidamente más adelante; aquí sólo quisimos subrayar la existencia de este fenómeno tan hispánico, y más que su mera existencia, el florecimiento que tanta importancia tiene en la historia de la poesía mexicana.

CONSULTAR

Altamirano, Ignacio Manuel. *La literatura nacional.* Ed. y pról. de José Luis Martínez. 2 vols. México, Edit. Porrúa, 1949. Martínez, José Luis, pról., y Chumacero, Alí, sel. *Poesía romántica.* México, Edic. de la Universidad Nacional Autónoma, 1941. Millán, María del Carmen, pról. y sel. *La poesía romántica mexicana.* 2 vols. México, Biblioteca Mínima Mexicana, en prensa. Reyes, Alfonso. *El paisaje en la poesía mexicana del siglo XIX.* México, Tip. de la Viuda de F. Díaz de León, Sucs., 1911. Valdés, Octaviano, sel. e intr. *Poesía académica y neoclásica.* México, Edic. de la Universidad Nacional Autónoma, 1946. Villegas García, Leonor. *Algunos caracteres de la poesía romántica mexicana.* México, Edic. de la Universidad Nacional Autónoma, 1943.

A. LA POESÍA ROMÁNTICA

Suele decirse que el primer romántico mexicano fue el poeta y dramaturgo FERNANDO CALDERÓN (1809-1845); tanto su vida como su obra muestran los rasgos inconfundibles del romanticismo naciente, a la manera de Espronceda y Byron. Liberal, se negó a usar el título nobiliario que le correspondía; fue herido y desterrado en las luchas políticas.

La obra más conocida de Calderón, es la divertida comedia *A ninguna de las tres*, inspirada en la *Marcela* de Bretón de los Herreros. Sus otras piezas de teatro no comparten la gracia de ésta; son "tragedias" de asunto medieval, al estilo de García Gutiérrez, o bien están inspiradas en sucesos políticos. Su obra poética es escasa y literalmente lamentable. Su tema predilecto fue la queja del hombre perseguido por el hado, aunque también cultivó la poesía amorosa y la cívica. Su lírica sufre de una mal digerida dosis compuesta, en proporciones iguales, de Espronceda, Cienfuegos y Lamartine. Galopa que galopa, "El soldado de la libertad" demuestra adónde llegaron los que veían en la "Canción del pirata" de Espronceda el camino abierto hacia la completa libertad métrica. "El sueño del tirano" provocó que Menéndez y Pelayo dijera que cuantos disparates se encontraban esparcidos en los periódicos románticos se encontraban reunidos allí. Sin embargo, en la lobreguez melodramática del "Sueño", hay algo del mismo vigor de su modelo: el "Estudiante de Salamanca". Lo más típico de esta poesía de queja pesimista, se encuentra en "A una rosa marchita", donde el poeta llora la "horrible suerte" que le ha condenado a "perpetuo gemir". Acertó María del Carmen Millán al decir de las poesías de Calderón que "...debieron su popularidad a la inconformidad que el poeta expresaba contra las arbitrariedades del gobierno de Santa Anna...".

Mejor poeta fue, a todas luces, IGNACIO RODRÍGUEZ GALVÁN (1816-1842), herido íntimamente por la pobreza y la desesperación personales, y por las desdichas del país. Por una ironía del destino, murió cuando apenas comenzaba a ganar cierta fama. Las dos fuentes de su canto son el patriotismo y la desdicha. Como los románticos españoles y su compatriota Calderón, Rodríguez Galván volvió su mirada hacia el pasado en esa extraña evasión romántica; a diferencia de ellos, se interesó no por el pasado vago de la Edad Media europea sino por el americano; esto es, la época precortesiana. Lo mejor de su obra es la "Profecía de Guatimoc"; Menéndez y Pelayo no tuvo inconveniente en llamarla "la obra maestra del romanticismo mexicano", porque es como una suma de todas las características del movimiento. En síntesis, se trata de un sueño en el cual el poeta ve a Guatimoc que se lamenta por el estado en que encuentra a su tierra natal. Después de subrayar lo fugaz del triunfo mundano, el cacique profetiza el futuro de la Europa corrompida, trazando un paralelo entre Roma y Atenas, por un lado, y París y Londres, por otro. Es inquietante en extremo sentir la equivalencia propuesta en estos versos, que iluminan súbitamente la fugacidad del poder humano. Más tarde, la voz del cacique alcanza tonos bíblicos al tronar el castigo inevitable.

El otro aspecto de la lírica de Rodríguez Galván es muy

personal; apasionadamente llora las dichas perdidas. En los desolados versos de "Suspende el rápido vuelo", el poeta se acerca a la desesperación de Leopardi o de Byron, dos poetas a quienes mucho se asemeja, hasta en el acento inconfundiblemente personal.

Para el sentir moderno, la poesía romántica pecaba de mal gusto y abusaba en llorar y maldecir. Pocos son los poemas que encienden aún la chispa de la auténtica poesía; de estos pocos, varios son de Rodríguez Galván. Al igual que los demás, pintó verdaderos cuadros de época; época que se regocijó con sangre y cadalsos, como ocurre en "Mora" y "El insurgente en Ulúa", de un romanticismo de lo más arrebatado y fúnebre. Pero Rodríguez Galván supo escribir "El buitre", que aunque flojo, tiene una fuerza terrible. "Mi ensueño", a pesar de su sentimentalismo, descorre un poco el velo de la realidad para alcanzar un estado casi alucinado de sufrimiento. Pensemos en la estrofa final de la "Profecía de Guatimoc", donde este estado de alucinación se alza hasta el mundo de ensueño que habitaron los mejores románticos: Bécquer, Nerval y, más aun, Baudelaire.

Otra rama del romanticismo mexicano la inició JOSÉ DE JESÚS DÍAZ (1809-1846), padre del poeta Juan Díaz Covarrubias. Nos referimos a los romances y leyendas histórico-descriptivos. Sus asuntos preferidos fueron el paisaje de su Estado natal y los acontecimientos de la Guerra de Independencia, siendo éste el antecedente tanto de Prieto como de la llamada "escuela de Altamirano". Aparte este interés histórico, es de poca importancia.

De los versos del tumultuoso GUILLERMO PRIETO (1818-1897) surge por primera vez, después de Lizardi, la voz del pueblo. Fue pobre, tuvo que ganarse el pan de mil modestas maneras; después se ocupó de política. Estas actividades no le dejaron tiempo para una adecuada preparación literaria. A él poco le importó; anhelaba ser poeta popular, "poeta nacional". Después de las primeras efusio-

nes juveniles, su labor poética muestra siempre este afán de
encabezar una literatura nacional popular. Aunque su pres-
tigio ha disminuído, y los críticos le señalan defectos, goza,
como siempre, de gran fama.

Dejando a un lado la prosa, que incluye las *Memorias
de mis tiempos* y varios libros no relacionados con la literatura, la obra de Prieto puede dividirse en tres partes:
sátira, poesía de inspiración costumbrista-popular y poesía de inspiración épica. Corresponden a estos tres grupos
Los cangrejos, la *Musa callejera* y el *Romancero general*.
Alcanzó *Los cangrejos* fama inmediata; pronto se consideró casi como canto de guerra durante los ásperos días de la
Reforma y de la intervención napoleónica. Corrían de boca en boca sus ácidos versos anticlericales.

El *Romancero*, última producción poética de Prieto, fue
un ensayo para crear en México una literatura semejante
a la poesía popular anónima, como el romance español, el
lied alemán o la balada angloescocesa. Sin caer en la
cuenta de que en el corrido brotaba espontáneamente lo
que él buscaba, Prieto intentó escribir en forma de romance la historia de México de buena parte del siglo XIX. Su
fracaso se debió a que no entendió esa diferencia tan delicada entre la claridad del *Mío Cid* y la llaneza de cualquier poetastro. Diferencia ésta que tiene paralelo moderno; sólo hay que leer el *Romancero gitano* de García Lorca y compararlo con las insipideces en que incurrieron la
mayor parte de los que trataron de imitarle.

La obra que merece que a Prieto se le llame poeta nacional es la *Musa callejera*, panorama de la turba de ba-
rriada. Oigamos lo que dice Luis G. Urbina: "... la 'china'
de castor lentejueleado; el 'charro' de sombrero entoquilla-
do de plata; la 'gata' voluptuosa, el indio ladino, el audaz
guerrillero. Cada uno dice su palabra, habla su jerga, se
mueve en su fondo: la calle estrecha y pringosa, el puesto
de fruta, la barbería de guitarra y gallo, la casa de vecin-
dario alborotador, todo típico y regional, todo vívido y ma-
tizado con admirable riqueza...". En este ambiente se mue-

ven las figuras de *la Migajita* y su *Ronco*, protagonistas de uno de tantos episodios de barrio; ahí *la Primorosa* cae apuñalada por el infiel *Florencio*. Pero, precisamente en los personajes, Prieto se diferencia de Lizardi y los demás costumbristas. *La Migajita* y *la Primorosa* son tan románticas como lo puede ser la Elvira de cualquier romántico. *La Migajita*, "flor de barrio de La Palma / y envidia de las catrinas", muere de la más atroz manera romanticona, —de puro amor; *la Primorosa* se niega a delatar al asesino. Las "chinas" de Prieto son así, idealizadas, románticas, muy bonitas, y muy poco reales.

Esto no resta valor a la *Musa callejera*. Si peca más de pintoresca que de auténtica, posee en cambio frescura y viveza. Tampoco hay que dejar pasar inadvertido su humorismo, semejante al de Ochoa y al de los mejores satíricos del siglo XVIII. Veamos un ejemplo, "Un hombre de importancia", quien

> Con todo y que es un camello,
> entró al ministerio y ¡zas!
> puso como el tío Tomás
> impuestos hasta al resuello.

Nada tiene Prieto de gran poeta, ni, pese a su deseo, de poeta nacional en el sentido en que lo quería ser él, pero sí de poeta muy mexicano y muy agradable de leer.

La poesía pintoresca fue llevada al extremo por el veracruzano JOSÉ MARÍA ESTEVA (1818-1894). Aunque escribió la leyenda *La mujer blanca*, lo típico de su obra es la reproducción del paisaje y de los tipos de su Estado. Reproduce tanto el lenguaje como los distintos metros populares en "El jarocho". Alcanzó cierta frescura, pero sus poemas tropiezan por demasiado literales, demasiado fieles a la realidad circundante.

Entre los poetas menores de esta primera etapa romántica hay que señalar a dos: JUAN VALLE (1838-1864) y

PANTALEÓN TOVAR (1828-1876). De aquél se sabe que quedó ciego a los cuatro años; pasó la vida en la mayor miseria, incluso conoció la prisión y el exilio. Observamos en su poesía dos aspectos: la melancolía de los versos que lloran la desdicha personal, y la pasión de los poemas de índole civil. Algunos ecos hay de los salmistas Pesado y Carpio, pero la manera más común es la declamatoria. Goza de cierta fama por su composición "La guerra civil"; sin embargo, es demasiado altisonante, poseyendo sólo brevísimos trozos de auténtico sabor poético.

Tovar fue poeta, novelista a la manera de Eugène Sué, y soldado en las fuerzas antifrancesas y antiamericanas. Como Valle, escribió poesía civil, aunque su obra más conocida es el soneto "A una niña". Apreciamos en éste una gran delicadeza no totalmente oscurecida por la desesperación que los románticos solían verter en sus versos; tampoco encuentra este poema el desarrollo que merece.

No vivieron ni escribieron lo suficiente para que podamos considerarlos más que como promesas malogradas, MARCOS ARRONIZ (m. 1858) y JUAN DÍAZ COVARRUBIAS (1837-1859). Para Pimentel, poco merecedor de nuestra confianza en esta materia, son representantes del "ultrarromanticismo". Si no vemos en su obra "la duda, ...el delirio, y ...la desesperación" de una manera tan abrumadora como las vió Pimentel, hay, al menos, indicios de gran promesa. Es lamentable que estos dos escritores, muertos en forma tan violenta, no hubieran tenido la oportunidad de madurar su habilidad expresiva.

B. LOS MAESTROS-POETAS

La reacción contra el romanticismo plañidero está representada por un grupo de hombres que, aunque escriben poesía, más tienen de maestros que de poetas. Durante más de medio siglo son tres los miembros de este núcleo, que mantuvieron la primacía como adalides de la intelectualidad

progresista mexicana. Son: Ignacio Ramírez, Ignacio Altamirano y Justo Sierra.

IGNACIO RAMÍREZ (1818-1879) es ejemplo extraordinario del más exaltado liberalismo. Aun cuando Prieto se
equivocara al atribuírle un discurso que niega la existencia
de Dios —error demostrado por Julio Jiménez Rueda—, la
actitud fundamental de Ramírez fue lo bastante anticlerical
para que los creyentes vieran en él al mismo Satanás. Anti-
rreligioso, antiespañol, varias veces corre peligro de encar-
celamiento; tiene que recorrer el país esparciendo por do-
quier un diluvio de versos y discursos rebosantes de rebeldía e indignación.

Es precisamente esta indignación de hombre de combate la que salva los versos del "Nigromante". Su inspiración
surge de la sequedad para fundir la forma clásica con el
ardor y el fuego de un hombre apasionado. Se muestra romántico en el desafío que encierran los sombríos tercetos
de "Por los desgraciados" y "Por los gregorianos muertos".
Aun en la ironía, es el reto su tono dominante; ya viejo y
en aras de un amor desesperado por Rosario de la Peña
—"Rosario, la de Acuña"—, desafió irónicamente al mismo amor en el soneto "Al amor". Advertimos en él la ironía, y, además, un nostálgico suspiro:

> Vuélveme, amor, mi juventud, y luego
> tú mismo a mis rivales acaudilla.

Dentro de su manera clásica logró Ramírez crear una
joya: el fragmento del poema "A Josefina Pérez" desglosa-
do por Menéndez y Pelayo y publicado luego por Octaviano Valdés en su *Poesía neoclásica* bajo el título de "Ma-
drigal". Poema breve, fino y delicado, a pesar de su mar-
co anacreóntico, está muy lejos ya de Navarrete o Sartorio. En la vaguedad sugerente del último verso se acerca de
una manera que sorprende, al ideal simbolista de sugerir
sin definir.

Maestro en el sentido más alto es IGNACIO MANUEL ALTAMIRANO (1834-1893), cuya vida se nos antoja novela escrita para inspiración de los humildes. Después de vivir trece años en un hogar indígena sin conocer siquiera el español, recibió una beca; a partir de entonces, fue su vida una serie continua de triunfos cada vez mayores. Amigo y discípulo de Ramírez, corre, como su maestro, toda clase de riesgos para luchar por la República. Una vez conseguida la libertad, se consagró a la cultura; a su labor se deben la importante revista *El Renacimiento* y la reforma del Liceo Hidalgo. Maestro indiscutible de la joven intelectualidad, influyó poderosamente en el desarrollo de las letras y la cultura en general.

Tanto en arte como en política, fue un visionario. Exhortó a todos los literatos a que cooperasen en el intento de recrear una literatura nacional después de tantos años estériles. Por primera vez desde los días de la Academia de Letrán, participaron en el mismo proyecto todos los hombres de letras, sin que importasen diferencias políticas o de religión. El programa, si no se vió realizado por completo, sirvió como punto de contacto necesario para que la literatura volviera a cobrar cierta unidad. Los puntos principales del programa eran: armonizar la cultura mexicana con la mundial y crear una literatura nacional. Consideraba Altamirano que la esencia de la mexicanidad debía darse a conocer mediante el paisaje; creía asimismo que el paisaje influía de una manera decisiva en la formación del alma colectiva, y que, por consiguiente, para reproducir esa alma artísticamente, era necesario reproducir el elemento formativo.

Trató de dar cuerpo a este proyecto en su propia poesía; sus mejores momentos líricos son aquellos en que siente el alma de las cosas, cuando más capta lo esencial de la naturaleza. La combinación de la forma equilibrada y bien considerada con un lenguaje que muy a menudo se resiente de su condición de orador sirve muy bien para sus propósitos de idealización del paisaje: "Los naranjos", "Al

Atoyac", como para señalar las virtudes bucólicas: "Las abejas".

En la lírica amorosa, resulta un tanto romántico en cuanto a escuela: "La muerte de Carmen" u otras piezas a la manera de Zorrilla, en las cuales se exageran los defectos de su tendencia a la oratoria y al formalismo.

Un discípulo suyo le sucedió como director de las corrientes intelectuales: el distinguido pedagogo, sociólogo e historiador JUSTO SIERRA (1848-1912). Su vasta labor al servicio de su país incluye la fundación en 1910 de la Universidad Nacional. Su obra poética se escribió durante la juventud, antes de que otras tareas de distinta índole ocupasen sus años maduros. Así, pues, aunque vivió hasta los albores del postmodernismo, su poesía pertenece al romanticismo, con ribetes de clasicismo. Siguiendo los pasos de su maestro, Altamirano, intenta crear una cultura nacional; sin embargo, predicó y practicó la asimilación de lo mejor de otras literaturas. Sus poesías demuestran una clara influencia del Júpiter tonante del romanticismo francés, Víctor Hugo. Para calificar a este gigante de allende el mar, no encontramos adjetivo más adecuado que "tremendo": todo lo suyo fue "tremendo", desde sus metáforas hasta la ira con que castigó las hazañas de Napoleón III. Por desgracia, Sierra sólo aprendió de él el trueno, sin comprender la fuerza de imaginación que es el mayor mérito de Hugo.

Lo mejor de la obra poética de Sierra son dos poemas muy conocidos: "Playera" y "Funeral bucólico". Aquél, escrito en edad temprana, vale por el delicioso recuerdo de lo popular y por el presentimiento de la delicadeza rítmica de Gutiérrez Nájera. "Funeral bucólico", es de pura estirpe neoclásica; las artificiosas estrofas sobre la muerte de Mirtilo no nos conmueven y sí nos dejan una sensación de frialdad. Es mucho más conmovedora la desnuda sinceridad del último verso, tan alejado de la retórica convencional y tan mexicano:

  ...ni tus bodas eternas con la muerte.

C. LA SEGUNDA GENERACIÓN ROMÁNTICA

La búsqueda de una lírica nacional y el rechazo de la teoría poética del romanticismo por los maestros intelectuales de la juventud no lograron apagar este movimiento, que sólo dio sus mejores frutos hacia 1875. Mientras Ramírez y Altamirano buscaban forma apropiada para su recio nacionalismo, un grupo de jóvenes seguía produciendo una poesía de fuerte sabor romántico. De ellos, suele decirse que había un poeta de primera calidad: Manuel Flores; y una gran promesa malograda: *MANUEL ACUÑA (1849-1873). El suicidio de éste dejó trunco el más prometedor talento del romanticismo mexicano.

Alrededor de este fin trágico se ha tejido toda una leyenda de amores desesperados y adulterios. Parece ser cierto que Acuña se mató por hallarse en un estado nervioso sumamente exacerbado. Viviendo tal estado de ánimo, leyendo y escribiendo constantemente, llegó un momento en que sus nervios no pudieron más. Esto no significa de ninguna manera, que Acuña estuviese loco; su exacerbación física e intelectual se debía a que el poeta sufría un conflicto espiritual. La sensibilidad del joven estudiante de medicina y discípulo de Ramírez, "el Nigromante", era el campo de una lucha terrible entre el materialismo escéptico y una fe mermada. Estaba obsesionado por la incógnita de la inmortalidad, incógnita que no por vieja es menos desgarradora. Sus temas constantes en la poesía son la muerte y el suicidio, hasta que un día no encontró otro camino. Al hablar de la muerte de Acuña, hay que citar estos versos de su maestro Ramírez:

> Cárcel es y no vida la que encierra
> privaciones, lamentos y dolores;
> ido el placer, la muerte, ¿a quién aterra?

Estos versos recibieron una acogida que su autor no esperaba.

La característica sobresaliente en la poesía de Acuña es el poder mal gobernado, la enorme potencialidad sin cuajar en la expresión desigual. La tragedia artística de Acuña es haber muerto sin que antes lograra domeñar esta potencialidad.

Sus mejores poemas son los que tratan su arraigado conflicto espiritual. Uno de los más famosos y, sin lugar a dudas, el mejor, es "Ante un cadáver", poetización de la materia e invocación de la única inmortalidad aceptada por el joven poeta. Negación total de la inmortalidad espiritual, subraya la finalidad de la muerte con la ironía de la primera estrofa. Repite esta finalidad constantemente; la única inmortalidad es la de la materia, resolución a la cual algunos poetas de pleno siglo xx recurren en la ansiedad del hombre ante la nada. Cuadro desolador este círculo de la existencia, en que los depurados tercetos sombríos de Acuña, sin el exceso común a los románticos, señalan con letra candente la integridad del poeta.

El grado a que llegó el materialismo de Acuña se aprecia en la siguiente frase de su artículo "La fe": "La fe es la negación total de la razón humana". Menos dogmática y más poética, más reveladora de la angustia del poeta, es la desesperada pregunta que se formula en "A Dios":

> ¿por qué si es verdad que existes
> no existes en mi conciencia?

Verso depurado, perfecto, sin bagaje verbal que sustraiga al impacto emotivo; ¡cuánta semejanza entre esto y algunos de los mejores momentos de la lírica moderna! En Acuña se ve el parentesco con la desesperación espiritual de Villaurrutia, Gorostiza y Nandino. Versos como los anteriores son los que le han merecido fama como gran promesa; promesa que no quedó enteramente sin cumplir, como se aprecia en la honradez de "Resignación".

La poesía amorosa de Acuña casi nunca alcanza la altura que logra la de raíz filosófica. De la más ripiosa cursilería pasa a súbitas ráfagas de genio. El poema más conocido de este grupo, es el "Nocturno a Rosario"; a pesar de su fama, está entre lo más débil de su obra. Además del galope rítmico, galope por otra parte poco adecuado al tema sentimental, el poema adolece de prosaísmo: "De noche, cuando pongo / mis sienes en la almohada; camino mucho, mucho / ...". Sería de interés para un psiquiatra debido a la extraña invocación de la madre del poeta sentada entre los dos amantes "...como un Dios!"; mas como poesía, no pasa de ser mediocre.

Voces de varios poetas europeos suenan en la del mexicano, aunque muchas veces transformadas por su genio: el arrebato de Hugo, algo de Campoamor en las cuatro "Doloras", Espronceda en el desenfreno de "La ramera"; sin embargo, el único que le impresiona lo bastante para componer poemas de valor con su estilo es Bécquer. Como apunta acertadamente José Luis Martínez, Acuña pudo haber leído la edición de 1871 de las *Rimas*. En todo caso, las "Hojas secas" se parecen notablemente a la obra del poeta sevillano; el mexicano se muestra soñador, amante, en acendrado estilo becqueriano. Pero siempre queda el rictus amargo del Acuña verdadero.

No fue insensible Acuña al tumulto político por el que atravesaba su país. Ha dicho José Luis Martínez en el excelente prólogo a las obras de Acuña: "En atención a uno de los sectores más notables de su obra, Acuña pudiera ser llamado, en efecto, el poeta de los ideales de la Reforma". Fue ciertamente el joven estudiante un exaltado portavoz de "la condenación del fanatismo, de la tiranía y de los crímenes de la sociedad; la exaltación del progreso y de las luces de la razón; la creencia en la redención por la enseñanza y la ciencia...".

Y todavía queda por mencionar otra faceta: el humorismo. Dos de sus composiciones merecerían estar en cualquier antología del humorismo: "La vida del campo", sá-

ira "a lo ranchero" de Horacio y Fray Luis, y en especial
e sus imitadores mexicanos; y "A la luna", dirigida en
ontra de los que no podían publicar dos renglones sin es-
ribir otros tantos "A la luna".

Pero estos múltiples atractivos de la poesía de Acuña no
xplican la perduración de su fama. Lo que lo elevó a la
ategoría del más importante romántico mexicano es la in-
nsísima expresión de lo que Martínez ha llamado "su an-
ustia metafísica ante el misterio del universo". Es esta ex-
resión la que nos permite olvidar el mal gusto y las debi-
dades del juvenil poeta y entrever el gran poeta que no
gró darse al mundo.

LECTURAS: "Ante un cadáver", "A Dios", "Resignación",
Hojas secas": IV, XII, XV; "La vida del campo".

CRÍTICA: *Obras.* Edic. y pról. de José Luis Martínez. M´xico,
dit. Porrúa, 1949. *Manuel Acuña,* Francisco Castillo Nájera. Mé-
ico, Imprenta Universitaria, 1950. "Acuña y su tiempo". Porfirio
artínez Peñalosa. *Trivium,* Monterrey, N. L., núm. 11 (sept. 1949),
ágs. 2-20.

Totalmente opuesto a Acuña es el que ha sido conside-
ado como el más cabal de los románticos: MANUEL MA-
íA FLORES (1840-1885). Salió de su bohemia para lu-
har como soldado liberal: después de un melodrama amo-
so, murió ciego y pobre. Un solo tema domina en su poe-
a: el amor. Es la suya una poesía voluptuosa, sensual, de
rrebatos de pasión y chasquidos de besos. Prisionero de
 erótica naturaleza, expone en sus poemas una doble ac-
tud ante el amor: ora es fuente del universo, ora origen
el mal. Su ángel tutelar es el "ángel funeral de la triste-
", pero en "Adela" puede hablar del "ángel callado del
nor". Y en "Mi ángel" se leen estos versos casi neopla-
nicos:

> Te seguiré, mi ángel,
> para llegar a Dios.

Esta búsqueda del ser supremo da como resultado algu nos versos de alta calidad. La sensualidad de "Bajo las pa mas", por ejemplo, nos proporciona un cuadro evocado de "grutas perfumadas" y "tapices de jacintos". Este po ma, historia de una tarde de erótico idilio, despliega tod una serie de aciertos descriptivos; cuando Flores trató d retratar la naturaleza, supo captar los elementos más suge tivos. Pero cuando dejó que corriera libremente su fant: sía erótica, el propio sensualismo lo traicionó, creando u incesante estribillo pegajoso.

Uno de los misterios de la obra de Flores es, precisame te, la explicación de cómo el autor de tanto "mátame co tus besos", "resucítame con tus besos", pudo haber escri to otros versos suyos. En "La ciencia", en medio de los m corrientes prosaísmos de época, se levanta este reto al mat rialismo desenfrenado:

> Ciencia, antorcha de Dios. . .

Lo más usual en él no es que produzca un poema ínt gramente bueno o malo, sino que en alguno de pésimo gu to, haga aparecer de súbito un hallazgo. Así son estos d versos de "Tristeza", que tanto se parecen a uno de los m jores versos de César Vallejo:

> Hay horas de tal quebranto
> que no puedo darles nombre. . .

De la misma manera, entre el erotismo de las "Hoj dispersas", se destaca el siguiente epigrama:

> Un viaje por un mar de tempestades
> es la vida mortal; la tumba es puerto.
> Morir es regresar a nuestra patria. . .
> No se debe llorar por los que han muerto.

Tenía Flores cierto parentesco superficial con Bécqu

mitó a Espronceda en su "Orgía", que sigue el modelo de
"A Jarifa", pero el que más influyó en él fue el francés Alfred de Musset. Ha dicho Menéndez y Pelayo que "...lo
que Alfredo de Musset tiene de gran poeta no es la calentura sensual, sino la grandeza de la pasión, que le hace entrever los más hondos misterios del dolor humano...". Es
justamente cuando Flores deja descansar tanto chasquido
de beso y nos hace sentir el sufrimiento personal, como en
"Tristeza", o nos regala con un seductor paisaje tropical,
como en "Bajo las palmas", cuando asoma el poeta que fue
sólo a ratos.

Más templada es la poesía del fabulista, autor teatral y
funcionario público JOSÉ ROSAS MORENO (1838-1883).
Su nota predominante es la nostálgica, la melancólica y suave. Sus mejores poesías son las que, como "El valle y mi
infancia" o "La vuelta a la aldea", despliegan los recuerdos
de la infancia sobre un fondo subjetivo. Pocas veces suena
la queja lastimera; su canto es más delicado.

Poeta erótico, aunque más cerca del estilo de Rosas Moreno que de Flores, es LUIS G. ORTIZ (1835-1894), uno
de los fundadores del Liceo Hidalgo. Traductor de poetas
franceses e italianos, su estilo es acabado y exquisito, su
tono delicadamente sensual, con más de un eco de Zorrilla.
Quizá la mejor muestra de su obra sean los nostálgicos versos de "La última golondrina", que unen a los recuerdos
becquerianos la delicadeza de una égloga de Garcilaso. Aun
la superficialidad convencional de "La boda pastoril" no
alcanza a ocultar una suma sensualidad plástica.

Poeta de gran fama en su época pero poco conocido
ahora, es el periodista y diplomático JUAN DE DIOS PEZA
(1852-1910). Su poesía es netamente tradicional: coplas,
décimas, endecasílabos; advertimos influencias de Campoamor, de Bécquer, de Núñez de Arce. Sus dos maneras son:
la sonora y retórica del amor y la patria, y la tierna lírica casera. Aun cuando alcanza una sinceridad desolada en

la poesía amorosa, peca con sus reminiscencias del romanticismo arrebatado. En su segunda manera, la de *Cantos del hogar*, poetiza los sucesos cotidianos de casa: el juego de los niños, el primer paso de la hija... Refleja fielmente los sentimientos paternales y hasta nos hace experimentar cierto placer, pero lejos está aún de la verdadera poesía.

Diplomático, novelista y soldado, VICENTE RIVA PALACIO (1832-1896) siguió los pasos de Altamirano en la poesía descriptiva. Escribió "Episodios", narraciones históricas en las que se aprecia la búsqueda de una expresión y esencia nacionales que no está exenta de melodramatismo. Veamos a este propósito el caso de "Sor Magdalena", monja que está a punto de escaparse con el amante de hace años. Desgraciadamente, este intento de recobrar la felicidad no llega a realizarse ya que el joven, algo torpe al andar, como el Calixto de *La Celestina*, cae y se aplasta al tratar de bajar del muro.

Lo mejor de la poesía de Riva Palacio son algunos sonetos; sorprenden por la limpidez clásica de la expresión. Encontró el poeta el secreto del soneto que se salva o se pierde por los últimos versos. En "La vejez", "El Escorial", "Al viento", supo unir el desarrollo objetivo, aprendido en sus ensayos de poesía descriptiva, con el casi epigramático remate. Típico es "El Escorial", que describe el refugio que buscó Felipe II "contra su propia hiel". Termina con este maravilloso resumen de la vida del desafortunado rey:

Aguila que vivió como un gusano,
monarca que murió como un mendigo.

Mejor dramaturgo que poeta fue JOSÉ PEÓN Y CONTRERAS (1843-1908), autor de *La hija del rey*, última joya del teatro romántico mexicano. Su metro predilecto es el romance, que se presta a los fines dramático-narrativos. Los *Romances históricos mexicanos* son de asunto indígena; los *Romances dramáticos* tratan temas españoles, sacados en su mayor parte del romancero y del teatro del Siglo de Oro. Los mejores poemas son los que pintan momentos de elevado contenido dramático; como los versos de "El último azteca", cuando:

> ...palidecen los semblantes
> y se cumple la sentencia...

de la muerte de Cuauhtemotzín. El gran defecto de estos romances, es el concepto externo que de la poesía tenía su autor; igualmente pudieran haberse escrito en prosa. Es decir, la mayoría de estos romances no son otra cosa que prosa asonantada. Sorprende por tal motivo el acercamiento a la poesía moderna subjetiva que encontramos en los *Ecos* becquerianos. El ensayo de reproducir, mediante la metáfora y la imagen, estados psíquicos de duda y desesperación produjo resultados en nada inferiores a los poemas de autores de mucho más renombre. Peón y Contreras logró hermanar la delicadeza de Bécquer con las preocupaciones oníricas de los llamados "altos románticos". Contadas veces, como en el que citamos a continuación, logró una joya absolutamente fuera de tiempo y de época, un poema juanramoniano en su comprensión casi hiriente:

> Yo sé que son las almas
> como las olas,
> que siempre va la una
> siguiendo a la otra;
> tú vas delante...
>
> ¿Dónde estará la playa
> que nos aguarde?

No produjo el romanticismo mexicano poetisas de la calidad de la cubana Gertrudis Gómez de Avellaneda o la gallega Rosalía de Castro. Las mexicanas seguían, en general, las tendencias que hemos visto al hablar de los poetas, sin que produjeran obras de verdadera categoría. Entre ellas, citaremos a dos: ISABEL PESADO, poetisa del llanto amoroso, y LAURA MÉNDEZ DE CUENCA (1853-1928), en cuya obra dominaba el lamento pesimista.

Hemos aplazado hasta ahora la presentación de AGUSTÍN F. CUENCA (1850-1884) porque no representa ni al romanticismo ni al clasicismo. A pesar de tener un poco de ambos, en su poesía se oye una música nueva, aviso del modernismo que pronto llegaría. La nota dominante es la voluptuosa, ya sea en lo descriptivo, ya en lo erótico. Sus versos rebosan ambiente tropical; en "A orillas del Atoyac", llega al sensualismo descriptivo muy cerca de lo que harían más tarde los miembros del séquito de Rubén Darío: embriagarse de luz y de color. La forma es exquisita y trabajada con esmero, el ritmo es más suave que el prosaísmo de los clásicos y el galopar romántico. Es lamentable que no hubiera vivido hasta lograr la perfección de su innegable talento poético; su evidente parentesco con los parnasianos nos induce a creer que quizá figurase hoy entre los predecesores, al lado de Díaz Mirón.

D.   LOS CLÁSICOS

Al lado de la corriente romántica, existe la clásica, continuadora, hasta cierto punto, del neoclasicismo de comienzos del siglo. Aunque su meta sea la misma: la expresión pulida, armónica, diáfana, los clásicos de la Independencia siguen nuevos modelos. Imitan a la Biblia, a los españoles del siglo XVI, a los griegos, en especial los bucólicos. El iniciador, por orden cronológico, es el yucateco WENCESLAO ALPUCHE (1804-1841), aunque, debe advertirse, más tuvo de imitador de Quintana que de innovador. Su poesía carece por completo del don de la palabra, que trata de sustituir con el brío. Es de interés histórico como poeta de transición; su retórica no tiene interés estético.

El verdadero renovador clásico es JOSÉ JOAQUÍN PE-

SADO (1801-1860), hombre de inquietudes intelectuales
y sólida cultura. Pero esta cultura se vio empañada por
una falta de dotes poéticas. Clasicismo de impostura llama
Alfonso Reyes a la manera amorosa de Pesado, inspirada en Petrarca y Herrera. Académicos por excelencia son
sus poemas, carentes en absoluto del soplo vital. También
se dedicó Pesado a la poesía religiosa, sin mejores resultados. Quiso honrarlo Menéndez y Pelayo, considerando sus
poemas como un "plagio honrado". Nosotros los calificamos
de remedo insípido de la Biblia.

Sólo en su poesía descriptiva se encuentra algo de valor estético. Aquí la técnica cuidadosa cubre, con la obje-
tividad de la descripción, una completa falta de capacidad
poética. En poemas tales como "El molino y llano de Es-
camela" o "La cascada de Barrio Nuevo" nos presenta cuadros plásticos del paisaje. Pero cuando intentó describir la
pintoresca vida aldeana, su fracaso fue total. No entendió
el alma popular ni tuvo la suficiente capacidad para ele-
var al plano poético los fenómenos cotidianos. No le agra-
da que su Elisa concurra a las lides de gallos; prefiere ver-
la en su jardín donde "...sola y divertida vaga".

A pesar de su filiación clásica, no escapó Pesado al na
ciente romanticismo. Tradujo a Teócrito, Sinesio, Tasso, Horacio, la Biblia, pero también a Lamartine. Influyó el romanticismo en sus escenas de campo, aunque a decir verdad, el poeta no comprendió lo que trataba de hacer; el
influjo romántico es visible también en *Los aztecas*, muestra del arqueologismo poético tan al gusto de aquella escuela. Estos cantos "indios", que fueron escritos basándose
en las crónicas, y en lo que le contó un indígena amigo
suyo, muy poco tienen que ver con la poesía indígena. Más
tienen de Horacio y los clásicos españoles que de Netzahualcóyotl, a quien fueron atribuídos.

Medianía modesta, llamó Alfonso Reyes a Pesado, con
justicia. Salvo muy pocos poemas, es de una igualdad en
la pobreza, que descorazona; no obstante, le cabe el honor

de haber despertado, nuevamente, el interés por la poesía clásica.

Amigo de Pesado y colaborador suyo en el intento de reavivar la poesía fue MANUEL CARPIO (1791-1860). Médico, a los cuarenta años se dedicó a la poesía, con resultados desastrosos. Versificación más antipoética difícilmente se imaginaría. Sus versos son absolutamente externos; narración de acontecimientos y descripción de hechos. Amontona detalle sobre detalle, sin escogerlos. Al hueco colorido sigue el lugar común. Su actitud típica es de pasmo ante la inmensidad del Universo. Pertenece a aquellos de quienes Alfonso Reyes ha dicho: "...a tanto asombrarse de que todas las cosas tengan causas en el Universo, y de que siempre haya un *más allá* y de que las estrellas sean en cantidad infinita, acaban por formarse algo como una religión astronómica y tener de Dios un concepto cuantitativo y material". Veamos la manera como canta Carpio "Al Ser Supremo":

> En el espacio del redondo cielo
> globos de luz sin número formaste
> que apenas se perciben desde el suelo
> a pesar de sus moles...

Y en "El diluvio" recurre a su adjetivo predilecto:

> Allá en un tiempo la redonda tierra...

Todo esto estaría bien en un libro de texto científico, pero no en una verdadera poesía.

También fue contagiado por el arqueologismo poético, pero en este caso se trata de un arqueologismo oriental: "El árabe en el desierto", "El cruzado", "El turco". En este último, se quitó la capa neoclásica para construir una oda romanticona que mereció algunos de los más agudos alfilerazos de Acuña en "A la luna".

Sin embargo, hay algunos poemas de valor en la obra de Carpio; en su mayor parte son fragmentos donde captó la sencillez expresiva de la Biblia. Cuando se apartó de la ripiosa redondez de la luna y la minuciosidad colorista de escenas de Oriente, escribió la espléndida estrofa descriptiva "En árido terreno. . ." de "A la Virgen de Guadalupe".

Discípulo de Pesado e infatigable traductor de obras modernas y clásicas fue JOSÉ SEBASTIÁN SEGURA (1822-1889). Sus poesías originales poco tienen que las recomiende. Abundan Lauras llorosas y desdenes cursis a la manera del petrarquismo ya gastado; el sentimentalismo fácil y la falta de inspiración afean casi toda su obra. Recomendamos dos sonetos: "El coleadero", por su vivo sabor, y "A la Virgen María", cuyos versos nos recuerdan el misticismo sensual de San Juan de la Cruz.

Extraña mezcla de lo clásico y lo romántico, es la obra del acendrado conservador JOSÉ MARÍA ROA BÁRCENA (1827-1908). Imitó a Pesado y a Carpio en la expresión llana y a menudo pedestre; imitó a Pesado también en los temas indigenistas. Pero en las *Leyendas mexicanas* encontramos un romanticismo que nos sorprende, no tanto por el retorno al pasado sino por el tema sangriento. No hay asunto más romántico, por ejemplo, que la muerte de los amantes en "Xóchitl", que hace recordar algunas páginas del novelista estadounidense James Fenimore Cooper o el tormentoso *Don Alvaro* del Duque de Rivas. Hasta en el metro hay un galopar romántico.

En la lírica, peca por el mismo prosaísmo que ha motivado que se le llame autor de "informaciones rimadas" en las *Leyendas*. En "El epitafio", que trata de una muchacha que muere por culpa de unos amores desafortunados, podemos ver la influencia de las baladas de Schiller; a pesar de tan ilustre inspiración, el poema queda afeado por la falta de gusto.

Entre los muchos que siguieron el camino trazado por

Fray Luis de León, merece consideración el distinguido humanista poblano ALEJANDRO ARANGO Y ESCANDÓN (1821-1883). La huella de Fray Luis es obvia en la lírica del mexicano, quien, además, escribió un excelente estudio sobre el poeta español. Tanto la forma como el contenido, la serena gravedad como el anhelo religioso, los aprendió Arango y Escandón de Fray Luis. En "Invocación a la Bondad Divina", empleó el mexicano la estrofa predilecta de su modelo, la lira; su lenguaje parece venido directamente de la "Oda a Salinas" o la "Vida retirada".

La poesía amorosa de Arango adolece de polvoriento academismo; por contraste, nos es grata aun la gracia débil del romance "Pajecillo, pajecillo". Aunque la enamorada del mentiroso paje palidece, al contrario de las frescas muchachas del romance medieval —en verdad, se asemeja mucho a cualquier Amarilis neoclásica—, el poema tiene cierta espontaneidad, no por fingida menos sabrosa.

Entre los mejores artífices del movimiento clasicista hay que nombrar a FERMÍN DE LA PUENTE Y APEZECHEA (1821-1875), cuyos elegantes pero fríos versos, lamentan la fugacidad de la belleza y cantan temas religiosos. Excelente ejemplo de su obra es el soneto "La Magdalena". En sus cuartetos pinta un cuadro objetivo de María Magdalena lavándole los pies a Jesús; cuadro cuidadosamente pulido pero frío. Son versos perfectamente labrados, pero sin la menor emoción poética. Aun cuando el poeta traza una equivalencia entre el alabastro del frasco y el propio pecho que se rompe de dolor, no logra conmovernos. Es éste el gran pecado poético de los clasicistas del siglo XIX: con tanto pulir el poema y quitarle lo declamatorio, lo dejan en esqueleto.

Como era de esperar, entre estos imitadores de Fray Luis había los que buscaban la experiencia mística. Entre ellos, los más importantes son MIGUEL JERÓNIMO MARTÍNEZ (1817-1870) y FRANCISCO DE PAULA GUZMÁN (1844-1884). El poema más conocido de Martínez es el soneto "La poda", expresión de su anhelo de unirse con la Virgen. Emplea Martínez la imagen de la poda para simbolizar la purificación ascética; es una lástima que después de pintar en los cuartetos el cuadro de una verdadera poda, empiece los tercetos con este verso quizá necesario, pero no por eso menos prosaico:

> Si otra poda interior hacer pudiera...

E. LA SEGUNDA CORRIENTE CLÁSICA

Casi contemporáneo con los románticos de última hora, aparece otro grupo afiliado al cultivo del humanismo y la tradición clásica en la poesía. Sus miembros, por otra parte, sobrevivieron a casi todos los románticos, dejando una larga aunque menguada tradición. Si en rigor los primeros clásicos no produjeron grandes poetas ni siquiera poetas de segunda categoría, esta segunda etapa se distingue por incluir entre sus miembros al que acaso sea el mejor poeta bucólico mexicano, el sacerdote *JOAQUÍN ARCADIO PAGAZA (1839-1918).

Unica fue la voluntad poética de Pagaza: pintar el paisaje mexicano. Sin embargo, no fue mero paisajista; describió tanto el alma del paisaje como este mismo. En sus mejores sonetos, su forma predilecta, logró identificar los tonos suaves y melancólicos del ambiente, con su propia actitud contemplativa. No pintaba tanto como vivía; paisaje y hombre se fundían. Esta actitud suya está descrita magistralmente por María del Carmen Millán: "Para nuestro poeta, la existencia del mundo exterior tiene la significación de un milagro renovado continuamente y al que pudo asistir..."

Aunque no pudo evitar ciertas convenciones de escuela —una Filis era forzosa, y el lenguaje es poco original—, Pagaza sí pudo eludir el detalle sin fin. Nada aquí de crónicas rimadas ni lunas redondas. El secreto de Pagaza es el de todos los verdaderos poetas: saber escoger la palabra justa. Tuvo el genio suficiente para encontrar la palabra o la imagen que pedía el poema. A veces, este don de la palabra se muestra incluso en poemas de mediana calidad. "En la noche" participa de todo el convencionalismo de los bucólicos neoclásicos; no hay interés alguno en versos como éstos:

> Parece mediodía: ¡tanto alumbra
> húmida el bosque salpicando Febe!

Pero termina el soneto con este ruego, tan diáfano en su sencillez, ¡tan distinto del prosaísmo de estos clasicistas!:

> Flérida, ven y sígueme, pues quiero
> gozar de aquesta noche. La cabaña
> cierra, amiga; te aguardo en el otero.

Y todavía queda el mejor de los sonetos de Pagaza, esa extraordinaria explosión afectiva de "El amanecer". ¡Qué insospechadas perspectivas nos presenta el último verso, tan sugeridor de secretos anímicos, tan cercano a la tentativa simbolista de sugerir lo que no se puede decir!

LECTURAS: "La peña", "En la noche", "El amanecer".

CRÍTICA: *Selva y mármoles.* Intr., sel. y notas de Gabriel Méndez Plancarte. México, Edic. de la Universidad Nacional Autónoma, 1940. "El paisaje académico". María del Carmen Millán. En: *El paisaje en la poesía mexicana*, págs. 144-153.

Sonetista también fue IGNACIO MONTES DE OCA Y OBREGÓN (1840-1920), hombre de extraordinario intelecto y destacado teólogo. No vacila la crítica en reconocerle más alto rango como traductor que como poeta. Su gran amor fue la bucólica griega; publicó cinco volúmenes de traducciones: Teócrito, Bión, Mosco, Anacreonte, Píndaro. Desgraciadamente, en su poesía original reproducía la fluidez marmórea de los clásicos sin penetrar en el significado de esta armonía. Es decir, no entendía que la armonía de los griegos era su manera de sentir la existencia; al contrario, creía poder infundir armonía al mundo mediante el sencillo proceso de escribir sonetos mesurados y claros. Huelga decir que, como todos los clásicos de clasicismo puramente exterior, Montes de Oca fracasó. El elegante decoro no disimula la debilidad de inspiración y lo seco de la expresión. Si se salva, es por algún verso aislado y, quizá, por la resignación crepuscular del soneto titulado "Ipandro Acaico", nombre arcádico de Montes de Oca, donde el poeta contrasta su vigor pretérito con el estado de enfermedad y vejez en que se encuentra. La sencillez del primer cuarteto —acaso el mejor a pesar de la infeliz mención de Homero—, da el tono de espontaneidad sincera; precisamente es esta sinceridad la que rompe los artificios del pseudoclasicismo, para permitirnos ver el alma del poeta triste.

Otros que se ejercitaron en la poesía clásica, si bien con menos acierto, son AGUSTÍN ABARCA (1843-1891), canónigo de la catedral de Morelia, el destacado polígrafo JOSÉ MARÍA VIGIL (1829-1909), el humanista FRANCISCO ELGUERO (1856-1932) y el biógrafo FRANCISCO SOSA (1848-1925). Su obra padece del mismo concepto razonado e intelectual del arte; al lector asiduo le proporcionan aislados momentos de placer estético, pero sin poder unir forma y contenido en la verdadera creación poética. Como puede apreciarse, la mayoría de ellos vivió hasta muy entrado el período contemporáneo, pero figuran aquí por no haber participado en las inquietudes de nuevos movimientos y nuevas percepciones estéticas. Anquilosados dentro de una memoria que ya no tiene vigencia en la poesía, nunca lograron vivir la época poética a la cual pertenecían.

F. LA POESÍA POPULAR

Mientras la poesía culta —la clásica y la romántica—
iba desarrollándose, otra fuerza sigue silenciosa su camino: la poesía popular, corriente tan arraigada en el alma
hispánica y tan rara en otras literaturas. Cuando llegaron
los conquistadores, trajeron consigo el romance; pronto
echó éste raíces duraderas. Bernal Francés, Delgadina y
los demás personajes de romance recibieron nuevo trato a
manos del pueblo mexicano; el romance mismo cambió
hasta dejar, en rigor, de serlo. La larga serie de versos oc-
tosilábicos asonantados del romance se transforman en una
serie de cuartetos aconsonantados: el corrido. Al lado de
éste está la copla, cuarteto que se diferencia del corrido en
que cada copla reúne en sí un pensamiento completo; por
lo más común, un requiebro amoroso o flecha satírica. Además del sinfín de variantes del corrido, hay la décima y otras
formas; pero, por ser el corrido y la copla lo más típico, lo
más difundido, quede nuestro trabajo circunscrito a ellos.

Poco se sabe de la fecha exacta en que apareció el corrido como tal. Cree Vicente T. Mendoza que pronto hubo
de aparecer una forma del romance llamada "corrida andaluza", que es casi idéntica a la variante mexicana. De 1684
son unas "Coplas al tapado"; de mediados del mismo siglo
es el *Códice musical mexicano*, que incluye dos composiciones de ese género. Sea como fuere, por los años de la Guerra de Independencia el corrido alcanzó la mayoría de edad.
Abundaban las coplas al general Morelos; conocidísimos
son los versos siguientes, tomados de una canción popular:

> Por la luna doy un peso,
> por el sol doy un tostón,
> por mi general Morelos,
> la vida y el corazón.

La copla fácilmente se presta a fines satíricos; cita Mendoza un estupendo "Corrido de Carlos IV". Entre otros comentarios poco respetuosos, incluye lo siguiente:

> Ya con cabeza de bronce
> lo tenemos en la Plaza,
> venga y lo tendremos con
> cabeza de calabaza.

A estos fines sirvió la poesía popular durante todo el siglo pasado; hay corridos de la Reforma y de la Intervención francesa. Claro que al acontecer la Revolución, la poesía popular hubo de reflejarla; más aún, tan honda huella dejó la Revolución en la poesía popular, que los poetas cultos cayeron en la cuenta de las posibilidades expresivas de la copla y el corrido. Antes, mientras la gente del pueblo cantaba, los poetas cultos escribían sus romances, exceptuando notablemente a Riva Palacio, quien escribió el "Adiós a Mamá Carlota", inspirándose en el "Adiós, oh patria mía" de Rodríguez Galván. Como ejemplos típicos y a la vez de algún valor intrínseco, deben leerse el mexicanísimo "Clarín de campaña" de la guerra de 1847, la sátira antifeminista de los mismos años en el "Corrido de las Margaritas", y el "Corrido contra Juan Nepomuceno Almonte", cantado por los soldados de Juárez.

Pero la sátira y la expresión bélica no son los temas únicos de la poesía popular. Pronto el corrido se convirtió en una especie de periódico rural cantado; es decir, recobró la primitiva función del romance. Cuando recibía una cornada un torero, cuando descarrilaba un ferrocarril; sobre todo, cuando ocurría un suceso pasional, casi antes de terminar el asunto, aparecía ya el corrido. Así se explica esa multitud de corridos, de Macario Romero, de Juanita Alvarado, y también, por ese mismo proceso hechizante, mediante el cual cambian tanto los hechos en boca de la gente, de Juan Alvarado. Finalmente vienen los corridos que arrancan sus temas del romancero o de la tradición oral, como "el novillo despuntado", "La rogona" y, trayéndolo ya a nuestros días, el interesantísimo "Corrido del petate".

Vida tan larga y honrada como la del corrido tiene la copla; nos proporciona en gran cantidad como un resumen de las actitudes populares. Fugaces por su brevedad, surgen para desaparecer, casi inmediatamente, sin dejar huella. Sólo durante los últimos años y gracias a la labor de algunos hombres, se ha caído en la cuenta de la riqueza y la importancia de la copla.

A su debido tiempo nos extenderemos más tratando del corrido y la copla, y su repercusión en la literatura culta; mientras tanto, hemos querido señalar la abundancia de esta rama de la poesía mexicana. Abundancia y también calidad; si la mayor parte de las coplas y corridos valen como expresión del alma del pueblo, los hay también que valen en sí mismos por delicados y poéticos.

VI

MODERNISMO Y MODERNISTAS

El panorama de la poesía mexicana desde la muerte de Sor Juana hasta comienzos del Modernismo —poco menos de dos siglos— no es muy alentador. Careció el país casi por completo de un verdadero poeta. Rimadores los había, algunos con cierto valor de época. A otros más, como Acuña, Pagaza o el malogrado Agustín Cuenca, poco les faltó para llegar a la meta; pero no hubo un solo poeta merecedor de tal título.

Y entonces llegó el momento que, si no lo llamamos el verdadero Siglo de Oro de las letras mexicanas, es porque la etapa que lo siguió da señales de superarlo. Llegó el Modernismo, y el vacío se vió colmado por toda una pléyade: Gutiérrez Nájera, Díaz Mirón, Urbina, Tablada, Nervo... González Martínez.

Por supuesto, el Modernismo mexicano es una rama del movimiento continental, movimiento que tanto influyó en la renovación correspondiente ocurrida en España: la Generación del 98. Renovación, sí, y reacción en contra de la esterilidad y la estrechez en que habían caído las letras. Los poetas están hartos ya de Zorrilla, de Espronceda, del Duque de Rivas. Se han cansado también de Hugo y Lamartine. Reaccionan contra la hojarasca verbal, contra el gimoteo cursilón de los románticos de escuela, contra el ridículo piropo académico dirigido a una Filis ya algo de segunda mano, y contra el remedo de la Biblia por hombres que más tenían de religiosos que de poetas. Reaccionan, en fin, contra casi dos siglos de la más catastrófica mediocridad.

Ya en la obra de Cuenca apunta esta reacción. Algo de ello hay también en la de Justo Sierra, gran maestro y amigo de dos generaciones renovadoras. Con todo, tomamos como fecha del comienzo del Modernismo en México, la de la fundación de su flamante portavoz: la *Revista Azul.* Fundada en 1894 por Manuel Gutiérrez Nájera y Carlos Díaz Dufoo, durante sus dos breves años de vida fue el centro de reunión de todo un grupo de jóvenes combatientes. En 1898, Jesús Valenzuela fundó la *Revista Moderna.* La batalla librada por los jóvenes es por fin definitivamente ganada.

Entre la *Revista Azul* y la *Revista Moderna,* media cierta diferencia de tono y de propósito. La *Azul* aboga por la libertad formal de la poesía; las influencias más marcadas son la romántica y la parnasiana. La *Revista Moderna* pronto empieza a recibir influencias de los poetas franceses de última hora, los simbolistas, con sus intereses subjetivos, vueltos hacia dentro. Se siente hasta un aire procedente de los "poetas malditos"; Alfonso Reyes señala cierto "diabolismo poético", que encuentra expresión en la obra del pintor del grupo, Julio Ruelas.

La importancia de estas dos revistas es innegable. Antes de desaparecer con la muerte de su fundador en 1911, la *Revista Moderna* vio a la ciudad de México convertida en una de las dos fortalezas del Modernismo; la revista misma fue vocero de un continente. Publicó colaboraciones de los grandes escritores de otros países: Lugones, Rubén Darío, Guillermo Valencia, Ricardo Jaimes Freyre, Manuel Díaz Rodríguez. De España le enviaron artículos y poemas Unamuno, Valle Inclán, Azorín, Manuel Machado, Marquina y otros. Fue ésta una muy bien ganada batalla; lo que fuera poco menos que yermo, se convirtió en uno de los centros más florecientes de la poesía.

Tratar de trazar esquemáticamente los varios elementos

que compusieron el Modernismo es labor arriesgada a causa de su gran variedad; pese a su aire de familia, el modernismo de Díaz Mirón, el de Gutiérrez Nájera y el de González Martínez son expresiones claramente distintas. Sin embargo, hay determinados rasgos que producen cierto aire de familia: temas que asoman donde menos se espera; técnicas que, si no obran de una manera directa en tal o cual poema, ya antes habían agudizado la sensibilidad del poeta.

En lo formal, la característica más definida es la reforma de ritmo, de metro y de sonido. Dijo Xavier Villaurrutia que los modernistas "...redescubren el sentido y el sonido de las palabras, y también su color y su materia". Los poetas tratan de librar al metro de sus cadenas y acuden a los de los franceses, resucitando otros que yacían olvidados en algún cancionero medieval. Tablada trae a México el hai-kai japonés. Se escriben *pantum* venidos de Malasia. Se busca una renovación rítmica a base de cambios de acentos; precisamente en esto reside uno de los mayores triunfos del Modernismo. Díaz Mirón, en una serie de audaces tentativas, va aún más lejos en su empeño de limpiar el poema de defectos prosódicos.

Más aún. En su búsqueda febril de lo nuevo, renovaron la lengua; emplearon imágenes, sobre todo recurrieron a lo que se ha llamado la "adjetivación irreal", lo cual indignó a los titanes de la vieja poesía. Buscaron, sobre todo, el matiz, la música, la sugerencia. Ya lo había dicho en su "Arte poética" el gran simbolista francés Paul Verlaine: que la poesía, antes que nada, era música, y después de música, era matiz.

En lo espiritual, el Modernismo es de gran diversidad, pero también, en esto, con ciertos elementos casi constantes. Uno de estos elementos es un individualismo exaltado, heredado de los románticos, pero que, en los modernistas, conduce al desdén de la turba, a la capilla donde entran sólo los de la minoría. Consta que esta minoría frecuentemente queda reducida al poeta y su cenáculo. De ahí el subjetivismo de gran parte de la poesía moderna; de ahí que Herrera y Reissig, el gran modernista uruguayo, pudiera decir: "*Ego sum imperator*. Me incomoda que ciertos peluqueros de la crítica me hagan la barba."

Otras características románticas adoptadas por los modernistas, son las actitudes de rebeldía, de pesimismo y escepticismo. Ahora bien, tanto en el caso de los románticos como en el de los modernistas, gran parte de estas actitudes es mera afectación; esto, sin embargo, no quita el que, sin lugar a la más mínima duda, muchos de estos poetas sintieran sinceramente que el mundo no andaba muy bien. Ni Acuña ni el gran precursor José Asunción Silva se suicidaron por mera curiosidad, como parecen creer los que niegan toda autenticidad a esta epidemia de fin de siglo.

Relacionado con esta marea de pesimismo está el afán de evasión que los modernistas manifestaron en su búsqueda de lo nuevo. Exotismo, exquisitez... biombos chinescos, cuadros japoneses, esculturas de Grecia. Todo sirvió para alimentar aquel deseo de fugarse de una vida y una sociedad en las cuales ya no creían estar arraigados. Se ha visto en ello un antimaterialismo negativo que en vez de encararse al problema, prefiere huir; en todo caso, o a los poetas no les importa gran cosa la sociedad, o prefieren no escribir sobre ella. Esto puede aplicarse a muchos, pero no a todos; tanto en el modernismo de Gutiérrez Nájera, como en el de González Martínez, hay un fondo de compasión humana.

Multiforme, pues, fue el Modernismo; igualmente diversas son las fuentes de donde surgieron estas variadas facetas. Como hemos visto, ciertos temas del romanticismo encuentran nueva vida en el período de que hablamos: el individualismo, la duda, la rebeldía. La reforma métrica de los modernistas tiene antecedentes en Espronceda y otros románticos; sin embargo, el impulso que dio vida al movimiento en Hispanoamérica vino de fuera: de Francia. Los precursores del Modernismo estaban empapados en la obra de los poetas franceses del último momento, los parnasianos, y debido a su influencia, el Modernismo toma en sus comienzos cierto aspecto de preciosismo. Buscaron los poetas del Parnaso nuevas modalidades en la expresión poética; lo mismo hicieron los poetas de habla española. Así, Gutiérrez Nájera encontró en los parnasianos la inspiración de aquel movimiento ágil, delicado, lleno de gracia, que es tan suyo y tan nuevo.

Ahora bien; el Parnasianismo, en esencia, es la tentativa de reproducir lo más objetivamente posible la realidad exterior, conservando siempre en primer término el elemento formal del poema. Exclusión del sentimiento, persecución de la forma y serenidad escultural. Esto interesa mucho al perfeccionamiento técnico, pero resulta estéril si el poeta porfía en mantenerse aislado del poema. Una segunda etapa, que más o menos corresponde a una reacción contra el Parnasianismo, es la del Simbolismo. Aquél puede parangonarse con la primera fase del Modernismo, en su afán por dar nueva vida a la manera de decir las cosas, y éste, al Simbolismo, que como ya apuntamos, constituye la segunda etapa, la que se consagra al contenido; la que en la poesía de González Martínez acaba por dar muerte al preciosismo formal con que empezó el movimiento.

Arqueles Vela ha expresado claramente el deslinde entre parnasianos y simbolistas: "Los simbolistas conservan y superan las excelencias formales del *arte por el arte*, con finalidad distinta: establecer relaciones entre el estado interior y el mundo objetivo, en correspondencias melódicas." "Correspondencias melódicas": la correspondencia, esto es, la convicción de que entre lo interior y lo exterior, entre lo físico y lo anímico, hay una relación fundamental, que el poeta puede expresar mediante la evocación. Llevada esta teoría a la práctica, da frutos tales como el soneto "Correspondances" de Baudelaire, iniciador del movimiento en Francia. En este soneto, desarrolla la correspondencia entre los sentidos:

Hay perfumes tan frescos como cutis de infantes,
verdes como prados, dulces cual de oboe el son...

Esta técnica de sinestesia se ha llevado a un punto de
suma importancia en la poesía moderna. Con la musicalidad y la evocación matizada, resulta uno de los grandes ha-
llazgos del Modernismo.

No leyeron los poetas hispanoamericanos únicamente a
los franceses; una de las influencias más importantes en el
desarrollo del Simbolismo en Francia fue la del extraño estadounidense Edgar Allan Poe. Pronto los poetas de este
continente empezarían a leer sus poemas y artículos de teoría poética. Más tarde, hallaron la poesía de Walt Whitman, el cantor del pueblo y atrevido innovador de ritmos e
imágenes. Pasando los años, descubrieron la obra de los
simbolistas belgas, y después, en pleno siglo xx, han bebi-
do en las fuentes de la poesía italiana y de la inglesa.

No es ésta la hora de intentar una valoración definitiva del Modernismo, pero creemos que son necesarios ciertos comentarios sobre sus éxitos, que fueron rotundos, y sus
fracasos, que lo fueron también. El gran pecado del Modernismo es la falta de sinceridad, el abuso de lo artificioso
que se proclama a gritos. Aun en la poesía de los mejores,
difícilmente resistimos ese pegajoso tono preciosista, demasiado íntimo y demasiado gentil. El sentir y el gusto modernos no son partidarios de los excesos que tan seductores
parecieron a nuestros abuelos. Musicalidad cursilona, color
llevado hasta el deslumbramiento: por algo calificó Xavier
Villaurrutia a este movimiento como carnaval incesante. Defectos capitales, los que hemos señalado, pero a fin de cuentas, defectos de exageración; lo malo no está en lo que hicieron sino cómo lo hicieron y hasta qué grado lo llevaron. Buscaron los poetas un nuevo modo de ver y de sentir; y triunfaron en su empeño, encontrando este nuevo modo. Ahora bien, difícilmente habrían podido evitar todo exceso en su júbilo, y, sin sus descubrimientos, muy otra y
diferente sería la poesía contemporánea.

CONSULTAR

Acevedo Escobedo, Antonio, nota preliminar, y González Martínez, Enrique, notas críticas. *Los cuatro poetas: Gutiérrez Nájera, Urbina, Icaza, Tablada.* México, Secretaría de Educación Pública, 1944. Blanco Fombona, Rufino. *El modernismo y los poetas modernistas.* Madrid, Edit. Mundo Latino, 1929. Castañeda, Daniel. *El corrido mexicano.* México, Edit. Surco, 1943. Castillo Nájera, Francisco. *Corridos y canciones del siglo XIX.* México, Secretaría de Relaciones Exteriores, 1946. Henríquez Ureña, Max. *Breve historia del modernismo.* México, Fondo de Cultura Económica, 1954. Torres Ríoseco, Arturo. *Precursores del modernismo.* Madrid, 1925. Torri, Julio. "La *Revista Moderna* en México". *Las Letras Patrias,* México, núm. 1 (enero-marzo 1954), págs. 71-80. Vela, Arqueles. *Teoría literaria del modernismo.* México, Edic. Botas, 1949.

A. LOS PRECURSORES

Para facilitar nuestro estudio, hemos tomado como fecha del comienzo del Modernismo en México, el año de 1894, época en que se fundó la *Revista Azul.* Pero ello no quiere decir que en ese año precisamente surgiera el Modernismo tal como lo hemos conocido; antes bien, la gestación del movimiento es, relativamente, de larga duración. Se vislumbra ya en la obra de algunos románticos de la segunda generación: Agustín F. Cuenca es el ejemplo más notable; a Justo Sierra se le considera como precursor lejano. Pero por los años de 1880 empieza el Modernismo a adquirir cierto carácter en la obra de los grandes precursores: los cubanos José Martí y Julián del Casal, el colombiano José Asunción Silva, y los mexicanos Manuel Gutiérrez Nájera y Salvador Díaz Mirón.

Nació ****MANUEL GUTIÉRREZ NÁJERA** (1859-1895) de familia modesta; pronto mostró una precocidad literaria que le llevó a publicar sus primeras poesías a los trece años. Viéndose en la imposibilidad de seguir una carrera por la estrecha situación económica en que se hallaba su familia, se dedicó Gutiérrez Nájera al periodismo: así se ganó la vida durante los pocos años que la disfrutó.

Y este joven, muerto prematuramente, es una de las glorias más grandes de las letras mexicanas. Debemos señalar las tachas de que adolece su poesía, pero al mismo tiempo tenemos que reconocer también el mérito que le corresponde, no sólo como fundador de la *Revista Azul* y por haber sido uno de los precursores importantes, sino también como poeta de primera categoría.

Muy conocido es ya el Gutiérrez Nájera retratado en estas líneas de Luis G. Urbina: "...un aire de distinción rodeaba esta figura 'abocetada'. Se conocía a distancia que el poeta tenía una preocupación 'brummelesca'. Gustaba naturalmente, sin afectación, de todo lo exquisito y elegante. Y en la sociedad, como en la literatura, lo anunciaba esa distinción. Poseía la sabiduría de la frivolidad intencionada, del chiste alado, de la dorada galantería. Nunca en mi país hubo cronista de salones como él. Tampoco hubo humorista, escritor epigramático de aticismo más fino, de más penetrante ingenio. Porque él adquirió presto dos matices sustancialmente franceses de la gracia: el *chic,* el *esprit.*" Este es el Gutiérrez Nájera del primor, de la delicadeza y de la alegría de vivir. En "Nada es mío", rechaza la paternidad de sus versos; los atribuye al puro gozo de vivir. En el mismo poema habla de su colaboradora:

Una rubia magnífica: ¡la Aurora!

El poema más conocido dentro de este modo es "La Duquesa Job". Muy conocida también es la "Serenata de Schubert", con cuya melodía pegajosa tanto femenino cuerpo sufrió un delicioso escalofrío. A este ciclo pertenece también el poema dedicado "A Francisco de Garay y Justiniani", donde el poeta dibuja el credo del *dandy* de fin de siglo:

¡Todo en risa, todo en risa!
¡Todo entre galán y dama!

Mas no todo fue afectación en estos versos, porque bajo la superficie de este *dandy* del puro en la boca y la gardenia en el ojal, se ocultaba un hombre que vivió, en toda su agonía, la crisis de la duda. "Tragedia que pasa cantando", dijo de él Justo Sierra. "Un poeta atormentado por el deseo de la felicidad y la sed de la verdad, es una tragedia que pasa cantando por la mascarada humana; eso era Manuel, eso era esa alma enferma de ideal, que... estaba encerrada y cohibida por un cuerpo cualquiera encontrado por casualidad." Este fue el poeta del pesimismo escéptico, del "Monólogo del incrédulo", poema donde el vate reclama, como derecho fundamental, el de evadirse cuando le venga en gana de esta vida que no solicitó. Puede ser que no se mate, pero en todo caso, a él le toca decidir y a nadie más. Tiene este poema un extraño sabor popular que contrasta con el tono delicado de la mayor parte de su obra; sabe más a Martí que a Gautier.

> ¡Seré torpe, seré tonto,
> pero víctima no soy!

Más resignado lo encontramos en "Pax animae", poema en el que abundan esos breves trozos destilados que se quedan para siempre en la memoria. Veamos este recuerdo de Hamlet, de quien todo poeta y todo soñador se siente un poco pariente:

> Recordar... perdonar... haber amado...
> ser dichoso un instante, haber creído...
> y luego... reclinarse fatigado
> en el hombro de nieve del olvido.

Esta actitud atormentada es una tónica constante en la poesía de Gutiérrez Nájera, y se aprecia ya sea en el pesimismo desgarrador de "Para entonces", ya en la tétrica resignación de "Mis enlutadas".

Encontramos asimismo su afán por la búsqueda de la

inmortalidad. Si típicamente romántica fue la respuesta materialista de Acuña, modernista fue la de Gutiérrez Nájera en "Non omnis moriar":

> ...mientras disperso
> átomo de mi ser esconda el verso,
> ¡no moriré del todo, amiga mía!

Los notas técnicas que llaman la atención en su poesía, son la agilidad métrica, la musicalidad y el colorido. En vez de marchar a lo romántico o vagar perdidos al estilo becqueriano, sus versos corren ágilmente, con agilidad de acróbata, si se quiere, aunque raras veces, y, en todo caso, siempre es eso mil veces mejor que la cojera pedestre de un Pesado o el galope frenético de los románticos. En cuanto a musicalidad, "La Serenata de Schubert" se recitaba con música de esta pieza, y si este hecho notorio poco sirve para demostrar las virtudes poéticas, a todas luces demuestra un hondo sentido rítmico. Refiriéndonos al color, su obra es un mundo de azules y blancos; "De blanco", inspirado en la "Sinfonía en blanco mayor" de Gautier, es un ejemplo perfecto de esta concentración.

Estas características provienen de la lectura de los poetas franceses, los parnasianos y los últimos románticos: Banville, Gautier, Coppée, Musset, Hugo. Después de la obvia influencia místico-religiosa de los primeros años, y la imprescindible de Campoamor y Bécquer en la juventud, son estos poetas franceses quienes le ayudaron a hallar la propia expresión. Aun puede señalarse en sus versos el tono doliente y suave de la elegía lamartiniana, pero fue Gautier quien le enseñó la agilidad, y Musset, la suavidad perfumada, aunque, debe advertirse, ya Gustavo Adolfo Bécquer lo había iniciado en este aspecto. Vislumbramos, además, en sus poemas, al atormentado Edgar Allan Poe a través de la musicalidad elegíaca, el pesimismo y la evocación: ¿Será esta una influencia directa, asimilada en la poesía de Baudelaire, o quizá sencillamente afinidad de espíritu entre el norteamericano y el mexicano? Es imposible asegurarlo.

Además de poesía, escribió Gutiérrez Nájera crónicas, crítica literaria y social, prosa humorística y algunos cuentos. Revelan las mismas preocupaciones, y muchas veces tienen un tono agudo que no está en su poesía, como si desafiara a la sociedad en estos escritos destinados a los ojos de todo el mundo.

Para valorar la obra de Gutiérrez Nájera como renovador de la poesía, nada mejor que las siguientes palabras de Enrique González Martínez: "...Gutiérrez Nájera introdujo el elemento de la distinción. Lo que en sus predecesores fue desnudez autobiográfica y confesión impudente, en él fue confidencia velada y sugerencia íntima; por primera vez sonaba a nuestro el ajeno dolor; por vez primera se desvanecían las líneas concretas del suceso anecdótico para temblar con la angustia universal y humana; por primera vez se establecía entre el lector y el poeta esa colaboración que no logra sino la poesía digna de tal nombre."

La poesía de Gutiérrez Nájera es de las que conquistan; el lector se siente amigo, confidente del poeta. Tendrá esa poesía todas las tachas de la época, inclusive algo como una adolescencia perpetua que impregna aun los momentos más profundos; pero, con todo, tiene un encanto muy suyo, siempre fresco. El poeta no se equivocó al decir en "Non omnis moriar":

> Era triste, vulgar lo que cantaba...
> ¡Mas qué canción tan bella la que oía!

En ello radica precisamente su gran triunfo: en que a veces supo captar en sus versos esa bella canción.

LECTURAS: "La Duquesa Job", "Monólogo del incrédulo", "Pax animae", "Para entonces", "Mis enlutadas", "Non omnis moriar", "De blanco".

CRÍTICA: *Poesías completas*. Edic. y pról. de Francisco González Guerrero. México. Edit. Porrúa, 1953. *Revisión de Gutiérrez Nájera*. Francisco González Guerrero. Discurso de recepción en la

Academia Mexicana... Con una Respuesta de Alfonso Méndez
Plancarte. México, Bajo el signo de "Ábside", 1955. Boy G. Carter
Manuel Gutiérrez Nájera, Estudio y escritos inéditos. Colección
Studium Nº 12. México, 1956.

Del veracruzano **SALVADOR DÍAZ MIRÓN (1853-
1928) se ha dicho que poseía un temperamento volcánico.
Su vida fue borrascosa; parece que sentíase algo así como
un superhombre nietzschiano, con ribetes de caballero pun-
donoroso del Siglo de Oro. Su poesía fue todo lo contrario; su obra es una constante tentativa de limpiar el verso
de despojarlo de todos los elementos que no tuvieran significado estético.

En su poesía se distinguen tres épocas: las que corresponden a *Poesías, Lascas* y los poemas posteriores a éstas.
Corresponden a los siguientes períodos: 1874-1892; 1892-
1901; 1901-1928. La primera abarca desde los primeros
balbuceos románticos, hasta los comienzos de un concepto
mucho más estricto de la forma. Si hay una remembranza
de Bécquer o de Gutiérrez Nájera, mucho más marcado es
el recuerdo de Espronceda. ¿Cómo había de faltar una imitación de la "Canción del pirata", que aquí se transforma
en "El gaviero"? También percibimos algún eco de Byron,
pero sin la mordaz ironía que es, quizá, lo más típico del
romántico inglés. Más poderosas se oyen las voces de Víctor
Hugo y Gaspar Núñez de Arce. De estos paladines de la
poesía de combate aprendió el mexicano el concepto de la
poesía como heraldo de la redención social y política; esto
es, un concepto militante del arte. De ellos aprendió también la grandilocuencia, la hipérbole y lo que Antonio Castro Leal ha llamado la incapacidad para percibir matices
delicados y finezas líricas. Estas características las apreciamos en los dos poemas más conocidos de esta etapa de la
poesía de Díaz Mirón: "Sursum" y "A Gloria". El poeta
pregona orgullosamente ante el mundo que su plumaje no
es de los que se manchan al cruzar el pantano, y se jacta
de haber nacido "para el combate". La reacción de la crítica frente a esta poesía de hipérbole, dista mucho de ser

unánime. Nadie pone en duda el vigor de estos dos poemas, pero acerca de algunos otros se han repetido, hasta el cansancio, frases como "ardiente exaltación". Cierto crítico chileno ha dicho llanamente, y con justicia, que la poesía civil de esta etapa no viene a ser más que oratoria rimada. A pesar de que Rubén Darío imitó el poema "A Gloria", Díaz Mirón quiere olvidar esta fase de su obra. A pesar de esto salvaríamos los poemas citados y algunos más.

El segundo período, el de *Lascas*, tiene como característica predominante una creciente concisión. El poeta limpia su verso de la retórica grandilocuente que lo manchaba; persigue un ideal técnico imposible de alcanzar, como veremos después. En algunos de los mejores poemas del libro, el poeta pinta cuadros objetivos, casi impresionistas en su detalle cuidadosamente escogido: el desastre de "Avernus", el parnasianismo de "Pinceladas". El mejor poema del libro es "Idilio", por su impresionante descripción que prepara el escenario, tanto física como moralmente, para lo que ha de ocurrir. Y siempre, siempre, primero sugiere para después apartar nuestra vista del clímax.

En algunas composiciones, Díaz Mirón se aparta de su tendencia a describir, a hacer copia fiel, para proporcionarnos momentos de fúnebre pena, como ocurre en "Duelo", escrito al morir el padre del poeta, mientras éste estaba encarcelado.

En el tercer período de su poesía, Díaz Mirón intentó llevar a la práctica una teoría estética que perseguía desde hacía años. En una carta suya, leemos estas palabras: "...cierta técnica que vengo ensayando, como estudio de eufonía y léxico. No hay allí ripios, ni repetida ninguna vocal acentuada tónica u ortográficamente, en el mismo verso; ni rimas de adjetivos con otros; ni de inflexiones verbales entre sí; ni reiteración de palabras, excepto de partículas, por supuesto."

Al tiempo que intentaba estas restricciones casi imposibles, trató de renovar su léxico mediante el uso de palabras arcaicas o latinizantes, y empleó gran variedad formal dentro de sus metros predilectos.

Ahora bien; ¿adónde conducen todas estas disciplinas? Despojado de todos los tópicos emotivos de cualquier poetastro, el poema se yergue como esculpido; cada sílaba, cada letra, tiene un valor dentro de la totalidad. Nadie le niega a Díaz Mirón, notable habilidad para escoger sus imágenes; es un verdadero hallazgo estético encontrar, en estas últimas poesías suyas, como "Paisaje", una atrevida y cincelada metáfora. Pero a veces parece que esta disciplina de atleta, como la ha calificado Octavio Paz, quita en fuerza y espontaneidad lo que le proporciona al poeta en poderío técnico y sonoridad. A menudo parece surgir algo como un nuevo amaneramiento, como un tercer ángulo para construir un triángulo con el conceptismo y el gongorismo. Muchos, alabando esta nueva poesía, han llamado a su autor un nuevo Góngora y elogiaron su virilidad; otros apuntaron la esterilidad de esta escuela que no tiene ni tendrá alumnos. Sin creer que sea la nuestra la última palabra, opinamos que tal parece como si a Díaz Mirón le fuera necesario construir estos muros para poder escribir sin que lo esclavizara la retórica. Los mejores poemas suyos son, precisamente, los que se escribieron durante el segundo período; es decir, aquellos que reflejan el deseo de pureza formal, pero sin caer en las garras de una disciplina inhumana.

Varias fueron las influencias en la obra de Díaz Mirón; ya hemos apuntado algunas, como Hugo y Núñez de Arce, además de otros de menor importancia. En su excelente libro sobre el poeta, Alfonso Méndez Plancarte señala la importancia de la Biblia como fuente de imágenes, la semejanza con Horacio en el anhelo de la perfección plástica formal, el influjo de Fray Luis en el empleo de la lira, y de los italianos Stechetti y D'Annunzio, en el soneto. También se nos muestra la estela de Díaz Mirón en poetas del rango de Santos Chocano, del español Villaespesa y de otros más. Difícil, si no imposible, sería demostrar influencias directas en la poesía contemporánea, pero es obvio que, aun

in las resonancias que creemos ver en Pellicer y otros, la
obra de Díaz Mirón queda erguida como monumento y guía
en la eterna búsqueda de la forma.

LECTURAS: "Sursum", "A Gloria", "Cleopatra", "Avernus",
"Pinceladas", "Idilio", "Duelo", "Paisaje".

CRÍTICA: *Díaz Mirón, poeta y artífice.* Alfonso Méndez Plancarte. México, Antigua Librería Robredo, 1954. *Díaz Mirón. El hombre. La obra.* Francisco Monterde. México, Colección Studium 14,
1956.

Entre los precursores hay que mencionar también a un
poeta que lo fue en mínimo grado: MANUEL PUGA Y
ACAL (1860-1930). Estudiante de minería en Francia y
Bélgica, aprendió el francés hasta el grado de traducir a esa
lengua algunos de los poemas de Bécquer. Pronto abando-
nó sus estudios; conoció a Verlaine y a Rimbaud y, como
ellos, fue un bohemio que se dedicó a escribir poesías en
francés. Desde 1883 hasta su muerte, fue crítico literario y
periodista en México y en varias ciudades de las provincias.

Más fama goza Puga y Acal por un libro de crítica que
por su único libro de poemas, *Lirismos de antaño* (1923).
El volumen aludido es el que publicó en 1888 bajo el seudónimo de "Brummel": *Los poetas mexicanos contemporáneos.* En este libro critica, o mejor dicho, ataca a Gutiérrez Nájera, Díaz Mirón y Peza. Aunque el libro cobró
fama y de paso inspiró los *Poemas rústicos* de Othón, abunda en incomprensiones. De vez en cuando acierta, pero está
plagado de malas interpretaciones de la literatura que aun
en aquel tiempo eran de dudosa vigencia. Es difícil de entender cómo este ex bohemio y amigo de Verlaine y Rimbaud
pudo asentar en su crítica y en el prólogo a su libro de versos, tanto disparate respecto al dadaísmo, el surrealismo y
el modernismo.

Como poeta, Puga y Acal duda entre una sensibilidad
romántica y un clasicismo de gusto. El resultado es una especie de romanticismo prosaico que sólo tiene interés en
alguna que otra imagen aislada.

B. LOS POETAS DEL MODERNISMO

Aunque los poetas que analizaremos en este capítulo re
presentan toda una serie de tendencias diversas y a vece
opuestas, hemos optado por llamarlos así; porque todos co
operaron en cierta forma en la labor de la *Revista Azul*
la *Revista Moderna*; porque son relativamente coetáneos
porque, a pesar de sus diferencias, todos tomaron parte e
el renacimiento de la poesía que sucedió a las primeras ten
tativas de Díaz Mirón y Gutiérrez Nájera.

Entre estos poetas, el más viejo —si hacemos caso om
so de los dos "precursores"—, es también quizá el más in
teresante, porque representa un clasicismo de purísima ex
presión entre estos jóvenes ansiosos de lo nuevo, o todaví
empapados en la lágrima romántica. Se trata de **MA
NUEL JOSÉ OTHÓN (1858-1906). Nacido en San Lu
Potosí, ejerció la profesión de abogado en provincia; Co.
huila, San Luis, el Norte; siempre tratando de ganarse
vida, como ha dicho Carlos González Peña, "...a regaña
dientes, con más traza de Quijote que de juez al uso...'
De vez en cuando emprende un rápido viaje a la capit.
para pronto volver a su rincón provinciano. Al morir, dej
cinco obras de teatro, varios cuentos y novelas cortas, un
pequeña serie de artículos, y algunos de los poemas verd
deramente magistrales en lengua española.

La obra anterior a la publicación, en 1902, de los *Po*
mas rústicos, es de escasa importancia. *Poesías* (1880) i
dica las lecturas consabidas: Bécquer, Hugo... Las *Leye*
das incluídas en el volumen tienen parentesco con el r
manticismo tétrico del séquito de Espronceda, si bien, c
luídas a veces por un suave eco becqueriano. Quizá sea
interés el poema "¡Patria!", como posible fuente de la "Su
ve Patria" de López Velarde, quien fue ávido lector de l
poesías de Othón. Los *Poemas internos* no llegaron a p
blicarse, pero de este libro tenemos el índice escrito por
mismo poeta; se aprecian las mismas influencias y el m
mo ambiente que en *Poesías*.

La fama de Othón se debe principalmente a los *Poemas rústicos* y a algunos otros versos que no llegaron a coleccionarse durante la vida del poeta. Tienen sus mejores poemas, un rasgo común: si no todos son, en rigor, poemas de la naturaleza (difícilmente aceptaríamos como tal su "Idilio salvaje"), al menos tienen como fondo un paisaje que lo compenetra todo. Este sentimiento de la naturaleza en Othón se ha discutido mucho, y cabe citar aquí a varios críticos. Para Alfonso Reyes, el secreto de la poesía de Othón está en que el paisaje se personaliza; Maples Arce habla de su sentimiento total de la naturaleza; Castro Leal encuentra que en la poesía de Othón la naturaleza llega a ser un modo de la existencia. Quizá lo haya expresado mejor Agustín Loera y Chávez cuando señala que "Pudo revelarnos los más recónditos misterios de la lluvia y del rayo, del pájaro y la flor, del clamor de las voces de la noche y del aquelarre de las tumbas." Se le ha llamado poeta del campo y poeta bucólico. Dejemos que Alfonso Reyes aclare estos términos: "Y bien: si por poesía bucólica ha de entenderse la que gusta de describir el campo y toma pie en el sentimiento del paisaje natural para llegar por allí a la expresión de todo sentimiento; la que no se para tampoco en la mera descripción campestre sino porque ella sirve mejor que otra para el desahogo poético, la poesía de Manuel José Othón es poesía bucólica. Mas si por esto hemos de entender la que tiene por principal y único fin la narración de la vida de los pastores, y no tanto de los pastores reales cuanto de los de aquella fingida Arcadia, habitadores *de los campos que huelen a ciudad* y que todo el día pasaban en concursos poéticos para ganar el vaso o la oveja, cuando no en llantos y desesperaciones de amor, del todo contrarios a la manera como tales gañanes suelen acallar sus caprichos pasionales, entonces la poesía de nuestro poeta no será bucólica; afortunadamente no será bucólica." Este concepto dinámico-religioso de la naturaleza es evidente en poemas como "Surgite" donde, mientras amanece, el poema se aleja de una lentitud somnolienta a medida que avanza el día. Empieza el poema con un cuadro plástico, silencioso, sin movimiento, pero pronto se presiente la llegada de la mañana, de la vida. Después del ritmo ascendente del alba, culmina el poema en una explosión dinámica de compenetración entre hombre y tierra.

La religiosidad casi mística del poeta mientras se queda embelesado ante la naturaleza, encuentra expresión en "Crepúsculos", cuando da gracias a Dios por haberle permitido perderse en la contemplación. La compenetración de poeta y paisaje presenta otro aspecto, como se ve en los primeros versos —¡tan modernos y, sin embargo, casi sin asomos de escuela modernista!— de "Nostálgica":

> En estos días tristes y nublados
> en que pesa la niebla sobre mi alma
> cual una losa sepulcral...

Poco tiene Othón en común con la técnica de los otros modernistas; rechaza las innovaciones y se refugia en ritmos y formas viejos y tradicionales. Tampoco es innovador del vocabulario; pero, en cambio, es un modernista acabado en lo que se refiere a la música poética. Mientras los demás buscaban la musicalidad de la palabra o del verso, Othón se perdía en la música del paisaje para retratarla en sus poemas. Claro ejemplo nos lo da la "Noche rústica de Walpurgis", pesadilla hecha de ritmos wagnerianos, así como el "Himno de los bosques". Este fue escrito porque el crítico Puga y Acal lamentaba la falta de poesía de la naturaleza; inspirado en Pagaza, Othón superó a su modelo y a todo lo que se había escrito antes en este género, en México. El poema es una sinfonía en dos sentidos: la materia es el "salmo inmenso" que palpita "del gigante salterio en cada nota"; es decir, todos los sonidos de los que está compuesta la maravillosa sinfonía de la naturaleza; el poema tiene una forma rigurosamente sinfónica. Manuel Pedro González ha hecho un excelente estudio de la forma de este poema que, intencionadamente o no, se amolda a la de la sinfonía wagneriana, incluso en la romántica tempestad que agita todas las riquezas de la naturaleza viva, intensamente viva, como la escribió Othón.

El mejor poema de Othón es "Idilio salvaje". Apartándose del ritmo de la naturaleza rica y feraz, y basándose en una experiencia amorosa autobiográfica que dejó en su espíritu hondísima huella, Othón transcribió en el "Idilio" otro paisaje, tanto físico como espiritual. En el seco y ardiente desierto revive una tragedia personal, y en su poema consigue que en el desierto nos perdamos para revivirla con él. Es uno de los poemas más emotivos en lengua española. Jaime Torres Bodet lo llama "el vaho de un inmenso arenal"; las rocas deformadas y tristes se levantan como fondo de un drama dantesco.

Pocas huellas dejó la poesía de Othón, como pocos antecedentes tuvo. Conoció la obra de los parnasianos franceses, señalándose a Leconte de Lisle como una posible influencia. También le ha sido atribuído cierto aire de familia con Virgilio y Horacio, además de la ya indicada inspiración de Pagaza. Miembro de una generación anterior —la de los académicos—, a pesar de la cronología, según Alí Chumacero, con ellos tiene sólo semejanzas de superficie. El clasicismo de Othón no es el azucarado y falso de los académicos; por sincera, por pura, por dar una visión profunda de la existencia, la poesía de Othón queda como uno de los monumentos de la poesía mexicana de todos los tiempos.

LECTURAS: "Surgite", "Crepúsculos", "Noche rústica de Walpurgis", "Himno de los bosques", "Idilio salvaje".

CRÍTICA: "El paisaje sinfónico". María del Carmen Millán. En: *El paisaje en la poesía mexicana*, págs. 155-179. "Los *Poemas rústicos* de Manuel José Othón". Alfonso Reyes. En: *Conferencias del Ateneo de la juventud*. México, 1910. *Manuel José Othón, el hombre y el poeta*. Jesús Zavala. México, Imprenta Universitaria, 1952.

En la galería de distintas personalidades poéticas y

tendencias diversas que nos presenta el Modernismo, una de las figuras máximas del continente es la de **ENRIQUE GONZÁLEZ MARTÍNEZ (1871-1952). Nacido en Jalisco, su vida es una incesante superación que lo honra a él tanto como a su país.

La poesía de González Martínez se mantuvo fiel a un ideal, aun a través de los cambios que le impusieron los años: es una constante búsqueda del oculto sentido de la vida, de lo que Adrián Recinos llamó "...el recóndito sentido de la vida que sólo logra revelarse al rayo penetrante de la reflexión escrutadora". Por algo el poeta escogió como símbolo de su existencia al buho; ave recatada, reflexiva, lúcida.

Sus primeros libros, *Preludios* (1903) y *Lirismos* (1907), reflejan la poesía en boga; hay ecos de Baudelaire, de Heredia, de Verlaine. Faunos persiguiendo ninfas por los campos de Grecia, de igual modo que otros faunos hacían lo mismo en infinidad de libros. Sin embargo, muy por debajo de este superficial parnasianismo, hay como un lejano anticipo de lo que vendrá después. *Silenter* (1909) es el primer gran libro del poeta, y a través de los años, sigue siendo un libro de los mejores. Ya no es simplemente imitador; se ha encontrado a sí mismo. Como diría muchos años después: "Por vez primera me pareció oír en mis versos mi propia voz". Todavía siente esa desesperación irónica del "spleen" —¡tan cerca de Baudelaire!—, mas ahora, la nota tónica es la simbolista. En "Visión lunar" el poeta nos da un cuadro lleno de sugerencias al estilo de Mallarmé, pero de una espiritualidad muy suya.

"Irás sobre la vida de las cosas" y "Vivere vitam..." indican el rumbo que seguirá el poeta en sus libros posteriores: afinar el alma "...hasta que pueda / escuchar el silencio y ver la sombra."

En *Los senderos ocultos* (1911), aparece el poema que se ha tomado como una tentativa de dar muerte al cisne, símbolo del Modernismo. A pesar de las repetidas protestas de parte del autor, es lícito aceptar el poema como mani-

iesto contra un rubendarismo extraviado y formalista, prac-
icado por los que no entendieron lo que significaba Rubén
Darío. El poema, por supuesto, es "Tuércele el cuello al
cisne". A la gracia retórica del cisne se opone, alzándose, el
buho, sapiente, escrutador, que entiende y adora las voces
de la naturaleza. Todo el libro está impregnado del mismo
mensaje. Es este mensaje de integridad, de melancolía op-
imista, de constante internación el que gobernará su vida
y más tarde su obra.

Cambia el tono en libros posteriores. "Mañana los poe-
as", de *La muerte del cisne* (1915), saluda la eterna e inalcanzable tentativa de superación; *La palabra del viento*
(1921) y *El romero alucinado* (1923) traen una nueva
nota de resignada suspensión, a la par que una creciente
concisión en la expresión, que se hace notable en *Las señales furtivas* (1925). De esta época de experimentación
son las atrevidas imágenes de "Radiograma", el imperso-
nalismo y la expresión deliberadamente antipoética de "La
manzana de Newton", el humorismo de "Danza elefantina"
y el lenguaje familiar y desesperadamente patético de
"Apuesta". Pero aun durante este período, bajo la influencia de las corrientes contemporáneas. González Martínez no
traicionó su ideal. La muerte de su esposa produjo la emoción honda y quieta de *Poemas truncos* (1935) y *Ausencia
y canto* (1937). *Bajo el signo mortal* (1942) incluye los
poemas escritos a raíz de la muerte de Enrique González
Rojo, hijo de González Martínez y poeta él también de
inconfundible valor.

El pensamiento del poeta iba inclinándose hacia la
religión, o sea la metafísica; todos sus libros tienen este
fondo de pensamiento esencialmente orientado hacia la filosofía religiosa, en el sentido amplio de la existencia del
hombre. *Vilano al viento* (1948) tiene esta misma orientación, pero en *Segundo despertar* (1945) y *El nuevo narciso*
(1952) vemos el cabal desarrollo de esta veta. Aquél demuestra una creciente inquietud, un disgusto con la vida.
"La oferta del mar" indica un deseo de purificación, de

lavarse del pecado de ser hombre. En "Interrogaciones" encontramos la clara expresión de esta honda pregunta vital.

"Va la hora a sonar... ¿Y ésta es la vida?" *El nuevo Narciso* conduce esta permanente actitud del poeta a su fin obligado. Viejo, cansado, adolorido, el poeta de "Irás sobre la vida de las cosas", escribe todavía en una de sus "Estancias":

> Sonrisa, lentitud. ¡Feliz quien sabe,
> a la hora solemne e imprecisa
> en que es forzoso que la vida acabe,
> asociar el adiós con la sonrisa
> y lentamente conducir la nave!
> Semeja fuga navegar de prisa.
> Llegue la barca al límite supremo
> arriando lonas y a compás del remo.

En la última parte del libro, *Tríptico*, reunió tres composiciones de expresa orientación filosófico-religiosa. "El diluvio de fuego", publicado por primera vez en 1938, nos relata cómo la "lluvia roja", nuevo diluvio, consumió a la raza de pecadores. El Mensajero, especie de ángel, le da al hombre el derecho de probar una vez más, pero allá en el fondo de la conciencia, hay

> ...una lágrima amarga, como una incertidumbre,
> y en la frente una arruga, como un presentimiento...

El acento bíblico de "El diluvio" se cambia por otro deliberadamente basado en la poesía mística. En "Babel", el poeta asciende hasta que puede contemplar la existencia toda del hombre; visión apocalíptica de un mundo degenerado. La indecisión en que termina "Babel", esta torre de confusión vital, no importa a fin de cuentas, puesto que "Principio y fin del mar" suma la historia de la humana existencia en la existencia del mar. Empieza con "...un mar recién nacido..." y termina en la visión fatal de la destrucción atómica.

Poeta fundamentalmente religioso, en su trayectoria que va de un modernismo algo superficial hasta un profundo sentido humano, González Martínez fue siempre sincero y austeramente fiel. Es acaso el poeta más consecuente y de mayor intimidad de México; probó, destiló y asimiló las más variadas influencias, desde la Biblia hasta el simbolismo. En vez de llamarlo el último modernista, preferimos considerarlo el más puro de los simbolistas. Todo lo vió en función de un más allá, pero un más allá humano, panteísta. Purificó el lenguaje, subordinó la forma hasta el grado que escasamente la advertimos. Al juzgar a González Martínez, juzgamos al hombre que nos habla por entre los versos. Su importancia es tanto ética como estética; esto no significa que no sea uno de los poetas más grandes de nuestro siglo. Mas su ejemplo es el de haberse mantenido fiel e íntegro, y no el de haber empleado nuevos procedimientos. Las huellas de González Martínez en la poesía contemporánea las hemos de buscar en actitudes y no en palabras; la forma es fácil de copiar, el alma no. La poesía de González Martínez no es nada si no es el alma del hombre.

LECTURAS: "Irás sobre la vida de las cosas", "Tuércele el cuello al cisne", "Busca en todas las cosas", "Psalle et Sile", "Mañana los poetas", "Interrogaciones", "Principio y fin del mar".

CRÍTICA: *La obra de Enrique González Martínez.* Prólogo de Antonio Castro Leal. Edición de José Luis Martínez. México, Edición del Colegio Nacional, 1951.

En cierto modo, *AMADO NERVO (1870-1919) cabe dentro de la misma categoría de González Martínez. Su inspiración no fue tan honda pero sí de orientación fundamental semejante. Nervo estuvo a punto de entrar en el sacerdocio después de estudiar en el Seminario de Zamora; cuestiones económicas —y sospechamos que también su convicción de no tener verdadera vocación— lo llevaron al periodismo. Una novela de asunto algo atrevido, *El ba-chiller*, le atrajo la atención del mundo literario allá por 1895: si hemos de creer sus palabras, escribió esta novela para ganar fama. En todo caso, pronto ingresó en pleno mundo de las letras. Con Jesús Valenzuela fundó la *Revis-ta Moderna;* vivió en París la bohemia de comienzos de siglo, y fue íntimo amigo de Darío y los poetas franceses. En 1905 entró en el cuerpo diplomático; desde 1905 has-ta 1918 estuvo en Madrid. Designado ministro en la Repú-blica Argentina y el Uruguay, murió en Montevideo.

Treinta volúmenes comprende la obra de Nervo; bue-na parte de ella es poesía. Esta refleja su constante preo-cupación religiosa, desde las dudas del joven atormentado por el deseo de perfección, hasta el acicate de la carne. Sus primeros poemas están bajo el influjo del Verlaine de este período, y vacilan entre sus sentimientos de religiosidad y la carne. Así "Delicta carnis", donde incluso mientras pide la ayuda divina se complace en describir el marfil peca-dor de unos hombres. Extrañamente, después del simbo-lismo de *Perlas negras* y *Místicas,* ambos de 1898, Nervo se vuelve parnasiano en *Poemas* (1901) y en *El éxodo y las flores del camino* (1902). De este período es la deliciosa pero estérilmente dariana "Doña Guiomar"; también da-ta de entonces "La princesa peinaba sus cabellos".

Pero la poesía de Nervo se iba desvistiendo de este ro-paje; al poeta le importaba cada vez menos la forma, y, en sus últimos libros, lo que queda muchas veces no es más que un susurro algo informe compuesto de palabras co-rrientes y —única preocupación formal— decires popula-res que ayudaron a crear un aire de secreteo. Desgraciada-mente este descuido lo conduce a veces a tropezar con el ritmo; "Los muertos", de *La amada inmóvil,* no obstante que nos revele lo íntimo del pensamiento, está muy lejos de ser verdadera poesía.

Después de sus primeros libros, Nervo se mostraba ca-da vez más preocupado por las cuestiones espirituales. La muerte de Anita, el gran amor de su vida, inspira *La amada inmóvil*, confesión de la angustia que sintió el poeta ante la muerte de ella —y de la suya propia inexorable—. En los libros que siguieron anduvo siempre por esta misma vereda, descuidando cada vez más la forma, hasta convertir su poesía en una desnudez espiritual algo alejada del arte.

Durante sus últimos años, la vena espiritista, muy rica en verdad, lo condujo a lecturas poco acordes con la disciplina católica. Se empapó en la transmigración de las almas, la reencarnación, y otras doctrinas budistas; de ahí la resignación de *El estanque de los lotos* (1919). Su lectura predilecta fue la obra de Novalis, el extraño poeta y vidente alemán, a la vez que leía obras religiosas cristianas. Durante toda su vida estas dos tendencias espirituales: resignación pesimista y fe esperanzada, se disputaban la primacía, uniéndose sólo de vez en cuando para luchar contra la voz de la carne.

Amado Nervo ha ejercido una influencia importantísima en la poética mexicana y americana; durante años se le consideró uno de los dioses mayores de la poesía. La generación de los *Contemporáneos* reaccionó en contra de su poesía antiintelectual, lo que coadyuvó a que hoy día haya menguado la fama de que gozaba, aun cuando hay todavía muchos que lo consideran uno de los grandes. En vez de poeta místico, nos parece un hombre que tenía un inmenso deseo de creer; a este propósito dice Rufino Blanco-Fombona: "Carece de fe y hace cuanto puede por conquistarla." Tenía una visión panteísta del mundo, que a veces alcanzó profundidad de pensamiento y hondura y belleza de expresión; léase "La hermana agua", verdadera poesía, y que algo influyó en José Gorostiza.

La valoración estética de Amado Nervo es sumamente difícil. Los críticos distan mucho de estar de acuerdo: para unos, es un gran poeta, para otros, su obra está afeada por su tono de secreteo intimista. Cierto que por algunos de sus versos merece que se le califique de gran poeta, en especial por "La hermana agua" y algunos poemas del primer período. Por desdicha, mientras más se acercaba al susurro, más se apartaba de la poesía; de modo que sus últimos libros representan un retroceso.

LECTURAS: "Delicta carnis", "Doña Guiomar", "Evocación", "Y tú, esperando", "La hermana agua".

CRÍTICA: *Amado Nervo y la crítica literaria.* Guillermo Jiménez, ed. Noticia biográfica de J. M. González de Mendoza. Antología de artículos críticos. México, Andrés Botas e hijo, s. f.

La vena formal del Modernismo tiene tres representantes máximos: Tablada, Rebolledo y López. De ellos, el mejor y, sin lugar a dudas, el más importante, es el inquieto JOSÉ JUAN TABLADA (1871-1945). La poesía de Tablada demuestra el afán de lo nuevo, una increíble capacidad para mantenerse siempre al tanto de las últimas corrientes. Su primer libro, *Florilegio* (1899), casi serviría de guía a la poesía francesa de la época por las lecturas que revela —lecturas asimiladas en su mayor parte, por un temperamento afín—. "Comedieta" y "Mascarada" se inspiraron en Jules Laforgue, con su ironía a veces patética y su visión del hombre como muñeco triste y risible. Presiden la obra las sombras de Baudelaire y Huysmans; "Onix" es el triste espectáculo del que quiere creer y no puede, eco del anterior "Del amor y de la muerte", que no por romántico deja de estar tan cerca del "decadentismo maldito" de los franceses. Este erotismo mezclado con el sentimiento religioso logra gran expresión melodramática en "Misa negra".

Pero Tablada no se detuvo en este decadentismo un tanto superficial aunque, estamos seguros, sincero. En sus versos hay un período "japonesista", parnasiano, como cuando se divierte pintando, con palabras, biombos y paisajes exóticos. Después, durante los años de la Primera Guerra Mundial, vivió en Nueva York, y desde ahí volvió lleno de las últimas inquietudes: el vanguardismo, la experimentación tipográfica y el interés en el jaikai japonés. Son productos de esta etapa *Un día* (1919), *Li Po* (1920) y *El jarro de flores* (1922). Ejemplo del cosmopolitismo de estos libros es "Quinta avenida", de un erotismo abrumador y de imágenes atrevidas por su novedad. Más tarde, siguiendo la autointerpretación de "Exégesis" ("Es de México y Asia mi alma un jeroglífico"), se interesó por un mexicanismo pintoresco en *La feria* (1928). En este último libro se ha visto la huella del López Velarde de la provincia; lo cierto es que aquí el talento esencialmente plástico de Tablada se regocijó en el colorido tumulto de poemas como "El loro":

> ¡El loro es sólo un gajo de follaje
> con un poco de sol en la mollera!

Lo más logrado de Tablada son los jaikais; estos poemas breves no son, en rigor, más que una sola imagen deslumbrante. Profundamente arraigado en el genio y el alma japoneses —que tienen propensión a la concisión y la contemplación—, estos poemas reflejan un principio cardinal del budismo Zen: la intuición de la existencia en un instante, tras larga contemplación. Sabido es que el budismo estuvo de moda entre los escritores de comienzos de siglo; este "jaikaísmo" no es interés de un momento sino reflejo de una crisis vital.

Como poeta, Tablada sufrió por su propia versatilidad. Para ir del posromanticismo y el simbolismo, al nacionalismo de sabor popular, pasando por el exotismo japonesista y todos los otros tumultos, es necesario ser un Lugones o un Yeats. La poesía de Tablada no echó raíces; no obstante haber sido buen poeta y a veces poeta de primera categoría, nunca fue gran poeta. Pero si no fue de los grandes, su influencia es de innegable importancia. El jaikai, por él cultivado, llegó a ser durante algunos años el verso predilecto de medio continente. Como afirma José Luis Martínez, "...a pesar de la fugacidad de la moda, nuestra poesía ganó con ella una capacidad de concreción y exactitud

apreciable en algunos rasgos de su desarrollo posterior." La
verdadera importancia de Tablada radica en su ejemplo:
profesional de las letras, estimuló a los poetas jóvenes, en
especial a los de la generación de *Contemporáneos*, a em-
paparse en las literaturas de otras lenguas; a él se debe en
gran parte el postrer influjo de Baudelaire, Huysmans, Apollinaire, Claudel y Cocteau. Débese a él también el que los
poetas jóvenes se interesen por la música y la pintura contemporáneas: Stravinsky, Satie, Picasso y otros. Como afirma Villaurrutia, "su misma inquietud, su constante renovación... han hecho de su obra más que una realidad, un
provechoso consejo, una doctrina de inquietud para los nuevos poetas".

EFRÉN REBOLLEDO (1877-1929) comparte muchas
de las mismas tendencias. Sus primeros libros son muestra
de las varias actitudes estéticas de los modernistas, si bien
la imperante es un parnasismo esencial. Su carrera diplomática le dió la oportunidad de vivir en el Japón; de su
estancia en aquellas tierras, son producto las *Rimas japo-
nesas* (1909) y algunos libros en prosa. Ya de regreso en
México, publicó traducciones de Wilde y del simbolista bel-
ga Maeterlinck, además de *Aguila que cae*, obra teatral, y
un libro de versos, *Libro de loco amor*. En 1922, ya encar-
gado de la Legación mexicana en Noruega, publicó *Joye-
lero*, una antología de su poesía, y una novela de ambiente
noruego, *Saga de Sigfrida la blonda*.

Esta producción poco abundante cuando se toma en cuenta la de los otros modernistas, demuestra su afán de perfección. El poeta corrigió constantemente hasta lograr la
perfección formal; medallones, es el apelativo que se apli-
ca frecuentemente a sus poemas. Excelente ejemplo, tanto
del estilo aterciopelado y sensual como del erotismo que está
en el fondo de su mejor obra, es "Voto", cuya opulencia
visual y olfativa es un excelente ejemplo del "decandentis-
mo".

Pero lo mejor de la poesía de Rebolledo no se encuen-

tra en la artificiosidad wildeiana de "Voto" ni en las obras
de impulso pasajero. Lo mejor de su obra está en *Caro
victrix* (1916), que ha sido llamado el mejor y más intenso
poema del amor erótico en la poesía mexicana. En estos
doce sonetos, apreciamos el sensualismo palpitante de "En
las tinieblas" ("...cubriendo las flores y las pomas, nie-
van calladamente mis caricias") y el deseo impotente de
"Insomnio", reflejo ardiente de un alma torturada.

De RAFAEL LÓPEZ (1875-1943), se ha dicho que
fue el último poeta de la *Revista Moderna;* también puede
decirse que fue, con González Martínez, uno de los primeros ateneístas.

Empezó como modernista de propensión parnasiana;
Alfonso Reyes ha dicho que fue su poesía una fiesta plástica. Desgraciadamente, en sus intentos de esculpir lo be-
llo, no siempre evitó algún desliz rotundo y grandilocuente. Dentro de esta tendencia, se ha señalado como maestros
al Darío de *Prosas profanas,* a Díaz Mirón y a Chocano.
Siente otra inclinación, la histórico-nacional-indigenista. A
esta tendencia pertenecen "Maximiliano" o "Malintzín";
más tarde se interesó por un provincianismo acaso inspirado
en López Velarde, pero sin dejar nunca de ser el último modernista.

La gran virtud de López fue su complacencia en cola-
borar junto a promociones con las cuales no tuvo, en rigor, gran cosa en común, cuando menos por lo que atañe a lo poético. Fue, pues, uno de los genios organizadores
del movimiento que se ha dado en llamar del Ateneo; sin
evolucionar jamás lo suficiente para dejar de ser modernista, legó a los nuevos cierto amor a la forma, y, durante
años, fue adalid de escuela y uno de los poetas más influ-
yentes entre los jóvenes.

El crítico más cabal y, después de Gutiérrez Nájera, el
mejor prosista del movimiento, es *LUIS G. URBINA (1868-
1934), quien, por otra parte, fue, tanto en la vida como
por el espíritu que alienta en su obra, el sucesor del *Duque*

Job. Se ganó la vida en el periodismo; escribía crítica, cuentos, poesías... En todo hay el sello personal de este autodidacta incansable. Trabajó en la Secretaría de Instrucción Pública, donde conoció a Justo Sierra, a quien dedicó todos sus libros de poesía. Fue profesor de literatura, jefe de la Biblioteca Nacional, representante de su país en la Argentina, Cuba y España; en todo vertió Luis G. Urbina la mirada penetrante de su perspicacia y su rectitud de hombre. Entre su obra figura el estudio preliminar a la *Antología del Centenario* (1910), formada en colaboración con Nicolás Rangel y Pedro Henríquez Ureña; obra imprescindible para el estudio de las letras mexicanas. También es autor de otra obra fundamental, *La vida literaria de México* (1917).

En la poesía de Urbina hay una nota constante: la melancolía. Varía ligeramente con los años, pero en el fondo hay siempre ese dejo un tanto amargo e irónico; en fin, ese medio tono crepuscular del que tanto se ha escrito. De los modernistas, adopta algo de la experimentación formal, pero el tono es siempre romántico, el de Gutiérrez Nájera y de Bécquer.

Desde *Versos* (1890), pasando por *Ingenuas* (1902), *Puestas de sol* (1910), *Lámparas en agonía* (1914), *El glosario de la vida vulgar* (1916), *El corazón juglar* (1920), *Los últimos pájaros* (1924) y el póstumo *Cancionero de la noche serena* (1941), su único cambio es una lenta depuración de la forma, una limpia paulatina del cojeo que abunda en los primeros poemas. Cuanto más envejece, más sereno se vuelve. Son menos ardientes su inspiración y su nostalgia. Pero su estilo, siempre fácil, pierde la hondura que expresara en esa "vieja lágrima de raza". Entre los poemas que mejor captan esa nostalgia de los siglos están "Así fué" y "Nuestras vidas son los ríos", donde la vida del poeta pasa rauda sobre el fondo de los versos de Manrique. Pero no siempre es sólo nostalgia este dolor; en "Nocturno sensual" se transforma en dolor punzante, aciago.

La poesía de Urbina presenta también el aspecto paisajista; su dolor se mezcla con los ríos, los lagos, los árboles; siente el paisaje como algo trascendental, como parte de la vida de las cosas. A este aspecto pertenece "El poema del lago", dieciocho sonetos que reproducen la añoranza del poeta en el paisaje; lo mismo que las "Vespertinas".

En "Vieja lágrima", si no la mejor, sí la más profundamente humana de sus poesías, el poeta se encara con la verdad de su lágrima perpetua: en esta verdad encontrará, el que la busque, una razón de la naturaleza de la literatura mexicana.

LECTURAS: "Así fué", "Nuestras vidas son los ríos", "El poema del lago", "Vespertinas", "Tríptico crepuscular", "Vieja lágrima".

CRÍTICA: *Poesías completas.* Edic. y pról. de Antonio Castro Leal. México, Edit. Porrúa, 1946.

Destacado poeta y crítico fue FRANCISCO A. DE ICAZA (1863-1925). Entregado a la carrera de la diplomacia, llegó a ser Ministro en Alemania y en España, donde vivió gran parte de su vida. Cervantista notable, publicó sus investigaciones sobre las *Novelas ejemplares* y la *Tía fingida*, además de un estudio sobre el *Quixote*. Estudió a Lope de Vega, Gutierre de Cetina, y otros más de los clásicos españoles; fue consumado erudito, tanto en historia colonial como en crítica literaria.

No sólo en este aspecto nos recuerda un tanto a Urbina —ya que la poesía de ambos es de la misma estirpe—, sino que también por cierto sentimiento de comunión con la naturaleza, y por su sobria melancolía, es su cercano pariente.

"Estancias" refleja la fugacidad de la vida y la permanencia del dolor; "Caminando" es el terco grito del que obedece lo que le mandan, pero reservándose, como Gutiérrez Nájera, el derecho de no estar de acuerdo.

Los momentos intensamente emotivos en que Icaza penetra en el dolor de la existencia son lo mejor de su poesía. Muestra de ello son la elegancia cincelada de "Aldea andaluza" con su leve percepción otoñal dentro de tanta primavera, o el desgarrado terror producido por "Para el pobrecito ciego". Por españolizados que sean Icaza y su canción, corre en su fondo sangre mexicana, y no deja de cantar al son de la vieja flauta.

C. POETAS MENORES

Entre los poetas menores del modernismo hallamos las mismas características de los grandes. No obstante haber colaborado en las mismas revistas, bastante lejos del movimiento están ENRIQUE FERNÁNDEZ GRANADOS (1867-1920) y JUAN B. DELGADO (1868-1929). Aquél fue anacreóntico, dentro de la misma tradición de los árcades, si bien mucho más cerca de las fuentes originales con un marcado eco de Catulo. Hay un sabor fresco a "El vino de Lesbos" e incluso por debajo del convencional vocabulario de "De Lidia", sabor que a menudo se convierte en una risa irónica, como en "A Lidia". El árcade Delgado, sigue las huellas de Pagaza y Montes de Oca. Evoluciona hacia una actitud casi parnasiana en su preocupación formal. Supo pulir la estrofa, pero, en este aspecto, anduvo todavía por las postrimerías del siglo XVIII. En pleno siglo XX no se tolera a esos Dafnis y Cloes que ni la menor idea tuvieron de lo que es ser labrador. Buen pasatiempo sería para el poeta "El canario de Dorila", una más entre las innumerables imitaciones de Meléndez Valdés.

Importantísimo entre los poetas de la *Revista Moderna* fue JESÚS VALENZUELA (1856-1911), fundador de la misma junto con Nervo. Las memorias de los literatos de aquel período rebosan en recuerdos de la generosidad de Valenzuela. Escribió tres libros de poemas: *Almas y cármenes* (1904), *Lira libre* (1906), *Manojo de rimas* (1907). Su sensibilidad posromántica lo mantuvo cerca del tono de la obra de Gutiérrez Nájera, pero con toques formales de parnasianismo; quizá revele también recuerdos de Wilde y Verlaine, a quienes conoció en París. Luis G. Urbina resume las calidades de la poética de Valenzuela asentando: "A sus ideas, generalmente bellas, suele faltarles el gallardo atavío. Las telas de que van vestidas son ricas; las gemas son luminosas; pero los brocados no caen siempre con majestad estatuaria y los diamantes pierden, a veces, un poco de esplendor por los malos engarces."

Poeta cercano a Icaza y Urbina en la inspiración y la expresión fue LUIS ROSADO VEGA (1876). Su producción en prosa comprende varias novelas y tradiciones de su tierra yucateca; su obra poética incluye *Sensaciones* (1902), *Alma y sangre* (1906), *Libro de ensueño y de dolor* (1907), *Vaso espiritual* (1919), *En los jardines que encantó la muerte* (1936) y *El poema de la selva trágica* (1937). El pesimismo nostálgico imprime su huella en la obra de Rosado Vega: "Esto es una lluvia triste". A medida que pasan los años, el pesimismo vigoroso se esfuma y lo reemplaza un anhelo de paz y soledad. Poesía ésta de importancia menor, pero de sabor conocido, sabor de vino añejo y de antaño las lágrimas, que es bueno volver a gustar.

Autor de un solo libro de poemas fue el novelista y folklorista RUBÉN M. CAMPOS (1876-1945). En *La flauta de Pan* se aprecia su interés por lo indígena y lo musical, que más tarde lo alejaron de la poesía.

Sensibilidad romántica es la de MARÍA ENRIQUETA CAMARILLO (1875), esposa y luego viuda del historiador Carlos Pereyra. Sin pertenecer propiamente al movimiento modernista, se le incluye aquí por la técnica y la forma modernista de sus versos; si es que hemos de considerarla como perteneciente a alguna escuela. La tristeza dulce de *Las consecuencias de un sueño* (1902) y *Rumores de mi huerto* (1908) le valieron aplausos; lo mejor en estos libros son algunos breves instantes de dolor que hallan expresión ca-

bal dentro de un romanticismo sentimental. Más tarde, en
Rincones románticos (1922), *Album sentimental* (1926) y
Poemas del campo (1935), todos publicados en Madrid,
donde residió muchos años, logró purificar algo el exage-
rado sentimentalismo de sus primeros libros.

Percepción romántica es también la de FRANCISCO M.
DE OLAGUÍBEL (1874-1924). Publicó dos libros de poesía, *Canciones de Bohemia* (1905), y *Rosas de amor y de
dolor* (1922), que reflejan sus preocupaciones por la suti-
leza estructural y la musicalidad. Estas preocupaciones son
visibles también en la única producción poética de BAL-
BINO DÁVALOS (1866-1951), *Las ofrendas* (1909). A
pesar del eclecticismo que le atribuye Darío, encontramos
en su obra, como por ejemplo en el breve poema antológico
"Cristal marino", un vigoroso sentido colorista y un afán
de la palabra que lo colocan dentro de los parnasianos. Es
autor de dos volúmenes de crítica literaria —*Sobre la poesía horaciana de México* y *La rima en la antigua poesía clásica romana*— y de traducciones varias. Al lado de Horacio y la "antigua poesía clásica romana" de su crítica, vemos a Swinburne, Gautier, Verlaine, Leconte de Lisle, Poe,
Whitman, Maeterlinck; en fin, a los dioses de la poesía modernista.

Caso interesante es el de ROBERTO ARGÜELLES
BRINGAS (1875-1915). Comenzó como colaborador de la
Revista Moderna; más tarde se adhirió a *Savia Moderna*,
y fue también miembro del Ateneo. De él dijo Amado Nervo en 1905, que sería el "futuro gran poeta de México".
Desdichadamente, Argüelles Bringas sólo dejó algunas composiciones juveniles y cinco poemas maduros. En estos últimos se mostró dueño de la forma: ecos hay del estro
combatiente de Díaz Mirón, purificado ya de elementos in-
necesarios. Es una lástima que no haya escrito más, puesto que viene a ser como un poeta de transición entre el Modernismo y el Ateneo. Rafael López, que comparte esta posición con Argüelles Bringas, nunca fue más allá del Mo-

dernismo, pero en los versos de éste, como "Gesta de invierno", creemos ver una fuerza y un dolor que estuvieron en camino de una expresión más propia.

El padre ALFREDO R. PLACENCIA (1873-1930) publicó tres libros que suponemos escribió mucho antes, puesto que los tres se publican al mismo tiempo: *El paso del dolor, Del cuartel y del claustro* y *El libro de Dios;* otros tres libros suyos no llegaron a publicarse. Ordenado sacerdote en 1899, pasó la vida entre gente humilde de provincia, sin alcanzar a despertar nunca atención o simpatía. Sólo durante los últimos años se ha reparado en que el padre Placencia fue un talento de primer orden. Escribió los anhelos y sufrimientos de un alma sincera y atribulada; diríamos que fue de natural místico, si no fuera porque esta palabra ha sido una de las más difundidas y peor entendidas de toda la germanía crítica. En todo caso, adopta una nueva actitud poética para con Dios y las maravillas de la Creación. Su tono familiar imprime una nueva orientación a la poesía religiosa; no hay nada de imitación estéril; sí, en cambio, un nuevo rumbo de la angustia religiosa, digno de seguir, por sus expresiones llanas que, por serlo, son más conmovedoras.

Eco de un período anterior es la voz de JOSÉ MARÍA BUSTILLOS (1866-1899). Indigenista de voz delicada, siguió las huellas de Altamirano y los paisajistas de inspiración nacional de la generación precedente. Citamos por último, con el deseo de reconocer la mínima fama que en rigor le corresponde, al posromántico ANTONIO ZARAGOZA (1855-1910). Fue en su tiempo amigo de los grandes: Díaz Mirón, Gutiérrez Nájera, Nervo, Sierra, Othón, Urbina... Ha querido rescatarlo Alfonso Méndez Plancarte por haber ejercido, Zaragoza, una perceptible influencia en Díaz Mirón. A nosotros nos guía la misma razón al considerarlo como poeta que produjo algunos versos bellos al estilo becqueriano, y una interesante "Aceleración, vals de Strauss", en la que apunta ya el interés musical de los modernistas.

VII

EL PERIODO CONTEMPORANEO

Tanto en la cultura como en la política, el siglo XX mexicano empieza hacia el año 1910. Dos manifestaciones de capital importancia caracterizan esta época: la revolución popular contra la paz porfiriana, y la sublevación cultural dirigida contra la esterilidad intelectual del positivismo en México. Como ha dicho Alfonso Reyes, "se prescindía de las Humanidades, y aún no se llegaba a la enseñanza técnica para el pueblo; ni estábamos en el Olimpo, ni estábamos en la tierra, sino colgados en la cesta, como el Sócrates de Aristóteles." "El Positivismo Mexicano se había convertido en rutina pedagógica..." Del desencanto intelectual de los jóvenes creado por esta situación, surgió una de las mayores promociones intelectuales de toda América, el Ateneo de México.

Una sola fue la meta de los ateneístas: la madurez intelectual de la patria. Ayudaron tanto a fundar la Universidad Popular como a divulgar la cultura francesa; intentaron la revaloración de lo mexicano; estudiaron las culturas extranjeras y pusieron especial ahinco en el estudio de la cultura clásica. Se formó el Ateneo en torno a una revista, *Savia Moderna*, fundada en 1906 por Luis Castillo Ledón y Alfonso Cravioto. Entre sus miembros llegaron a figurar personas tan destacadas como el maestro Antonio Caso, el filósofo José Vasconcelos, el literato y crítico Carlos González Peña, el músico Manuel M. Ponce, Diego Rivera y muchos más; tampoco faltaron algunos de los más jóvenes de los que figuraron en la *Revista Moderna*: Argüelles Bringas y Rafael López, entre otros. En poesía, se destacó el humanista Alfonso Reyes; aparecieron también dos poetas de la época anterior que trataron de ayudar a realizar los proyectos de estos jóvenes: Luis G. Urbina y Enrique González Martínez.

Pero en rigor no fue una generación de poetas. Como ha dicho el mismo Reyes: "Era aquella, sobre todo, una generación de ensayistas, filósofos y humanistas autodidactas." Para encontrar al mejor poeta de la época, hay que buscarlo en quien nunca fue ateneísta: Ramón López Velarde.

A partir de la prematura muerte de López Velarde, la poesía viró hacia lo que muchos consideraban como la esencia de su obra: la vuelta a la provincia. Angustiados por los excesos de la Revolución y buscando raíces más perdurables, trataron de refugiarse en la reconstrucción de un pasado provinciano. A veces, su búsqueda no fue más que impulso de un momento, pronto abandonado; rara vez había alguien que dedicase su vida a esta búsqueda que, si no dio resultados de consideración en la poesía, sí en cambio ha fructificado en la antropología, la etnografía y otras disciplinas. Al lado del colonialismo surgieron otros grupos, otras generaciones, como la de 1915 o de los Siete Sabios, como se la ha llamado, que se dedicaron casi siempre a la historia, la economía o alguna disciplina aliada. Para encontrar una verdadera expresión de la poesía después de la muerte de López Velarde, hay que ir hasta dos manifestaciones de ideales completamente opuestos: los Contemporáneos y los Estridentistas. Aquéllos adoptaron —o les fue aplicado— el título de la revista en donde todos colaboraban, aunque algunos de ellos venían ya publicando poesía en la revista *Gladios* (1916): forman el grupo más importante de poetas en lo que va de siglo. Como los del Ateneo, fueron autodidactas, incansables perseguidores de la cultura, para lo que volvieron nuevamente la mirada hacia Francia. No la Francia de Verlaine y los parnasianos, sino la de Apollinaire, la de Cocteau y Claudel; en fin, la Francia del último momento. No faltó tampoco la influencia de los poetas ingleses y americanos, como Eliot, ni, al menos en los comienzos, la de Juan Ramón Jiménez.

El Estridentismo representa un movimiento opuesto: llámese dadaísmo, futurismo, estridentismo o lo que se quiera, es parte del intento de destruir el pasado, de quebrar todos los ídolos. Como en casi todas partes, adquirió un aspecto social y político, al menos en apariencia e intención; en el fondo, asoman los ídolos fundamentales. Más que en sus poemas, la herencia del Estridentismo es su saludable insolencia frente a las normas, actitud que si no se lleva demasiado lejos, puede dar una provechosa lección de libertad a los jóvenes.

La generación siguiente es la de *Taller*, revista fundada por Rafael Solana en 1938. Refleja una actitud menos intelectual que la de los Contemporáneos y se orientan hacia afuera, hacia los demás; lo cual no es común en la poesía de Pellicer, Villaurrutia, Gorostiza ni en la de otros de los Contemporáneos. Un último grupo es el de la revista *Tierra Nueva*. Menos intelectuales que los Contemporáneos en sus actitudes críticas y poéticas, vuélvense hacia la intimidad; la voz de los Contemporáneos no les es completamente ajena.

Al lado de estos grupos han surgido otros, a veces afiliados: el de *Rueca*, que representa la voz de las mujeres —algunas de ellas en primera fila de la joven poesía—, los de otras revistas como *Bandera de Provincias*, cuyos miembros se afiliaron a grupos como el de Contemporáneos, y luego, *Tiras de Colores*, *Ariel*, *Summa*, y tantas más de positivo valor. La voz de la provincia se deja oír todavía, y siempre nos es dado hallar, entre poetas sin gusto ni habilidad, un poeta verdadero.

La poesía moderna presenta dos aspectos importantes algo relacionados entre sí: el social y el popular. El terreno de lo social ha producido una serie de poetas cuya obra

desigual promete a veces elevarse hasta la verdadera poesía; sin embargo, por lo común parecen olvidar que escribir prosa versificada no significa que se haya escrito poesía. Muy a menudo han seguido los pasos de la poesía popular, tan arraigada en los países de habla española, tratando de reproducir la voz del pueblo. Este mismo empeño
es el de poetas cultos como Miguel N. Lira, quien ha escrito, al lado de versos como "Carta de amor", el "Corrido de Domingo Arenas". La verdadera poesía popular, la
de los corridos anónimos, se ha vuelto hacia la Revolución,
cantando las proezas de Zapata, Carranza, Madero y héroes
menores. Sin que hasta ahora se haya creado la épica definitiva de la Revolución, hay un sinnúmero de corridos,
bolas, décimas, etc., que incorporan una especie de épica
informe, caótica, que sólo espera al poeta que haya de dar-
le forma.

CONSULTAR

Aguayo Spencer, Rafael, ed. *Flor de moderna poesía mexicana.*
México, Biblioteca Mínima Mexicana, 1955. Arellano, Jesús, ed.
Antología de los 50. México, 1952. .... *Poetas jóvenes de México.* México, Biblioteca Mínima Mexicana, 1955. Castro Leal, An-
tonio, sel., est. y notas. *La poesía mexicana moderna.* México, Fondo de Cultura Económica, 1953. ......, sel. y est. *Las cien mejores
poesías mexicanas modernas.* 2ª ed. México, Edit. Porrúa, 1945.
Cuesta, Jorge. *Antología de la poesía mexicana moderna.* México,
Edic. de Contemporáneos, 1928. Estrada, Genaro. *Poetas nuevos de
México.* México, Edic. Porrúa, 1916. Díaz y de Ovando, Clemen-
tina. "Literatura popular contemporánea". *Anales del Instituto de
Investigaciones Estéticas,* México, vol. VI, núm. 21 (1953), págs.
31-57. González Ramírez, Manuel y Torres Ortega, Rebeca, eds.
Poetas de México. México, Edit. América, 1945. Herrera Frimont,
C., sel. y pról. *Los corridos de la Revolución.* México, Secretaría de
Educación Pública, 1946. Lerín, Manuel. "La poesía y la Revolución Mexicana". *Suplemento de "El Nacional".* México, 28 marzo 1954,
págs. 8-10. List Arzubide, Germán. *El movimiento estridentista.* Ja-
lapa, Ver., Edic. de Horizonte, 1927. Maples Arce, Manuel, ed.
Antología de la poesía mexicana moderna. Roma, Poligrafía Tibe-
rina, 1940. Martínez, José Luis. *Literatura mexicana del siglo XX.
1910-1949.* 2 vols. México, Antigua Librería Robredo, 1949-1950. Mon-

guió, Luis. "Poetas postmodernistas mexicanos". *Revista Hispánica Moderna*. New York-Buenos Aires, vol. XII. núm. 3-4 (julio-octubre 1946), págs. 239-266. Novo, Salvador. "Veinte años de literatura mexicana". *El Libro y el Pueblo*, México, vol. IX, núm. 4 (junio 1931), págs. 4-9. Paz, Octavio. "Poesía mexicana contemporánea". *Novedades*, México, núm. 271 (30 mayo 1954), págs. 1 y 4. Reyes, Alfonso. "Pasado inmediato". *Pasado inmediato y otros ensayos*. México, El Colegio de México, 1941. Torres Bodet, Jaime. "Perspectiva de la literatura mexicana actual". *Contemporáneos*, México, núm. 4 (septiembre 1928), págs. 1-33. Villaurrutia, Xavier. *La poesía de los jóvenes de México*. México, Edic. de la Revista Antena, 1924.

A. RAMÓN LÓPEZ VELARDE

Nació *** RAMÓN LÓPEZ VELARDE en Jerez, Estado de Zacatecas, en junio de 1888. Después de estudiar en Zacatecas y Aguascalientes, se traslada a San Luis Potosí, donde estudia Jurisprudencia. En 1912 recibe su título de abogado, pero, en lugar de ir a la provincia adonde lo designaron juez, prefiere trasladarse a México. En la metrópoli trabaja como periodista y abogado; traba amistad con González Martínez y Rafael López, además de conocer a otros destacados literatos de la época. En 1916 se publica su primer libro, *La sangre devota;* tres años después, aparece *Zozobra.* Por desgracia, muere prematuramente en 1921. Un volumen póstumo, *El son del corazón,* incluyó la mayor parte de sus poesías que no se publicaron en los dos libros anteriores. Hasta ahora todavía no se han publicado las obras cabalmente completas de López Velarde.

Durante muchos años López Velarde y su obra no fueron debidamente comprendidos. Por haber escrito recuerdos de provincia, nostalgia de una juventud añorada, fue considerado como poeta sencillo, como poeta de las virtudes y la humildad cristianas de las recatadas ciudades provincianas. Millares de poetas de tercera categoría, siguieron lo que creían ser los pasos del jerezano, sin entender lo que en verdad había querido decir. López Velarde escribió sus recuerdos de provincia, sí, pero éstos distan mu-

cho de ser lo que se creía. *La sangre devota,* aunque más
sencilla y menos atormentada que *Zozobra,* contiene todos
los gérmenes de la angustia que dió título a este último
libro.

Más tarde, a raíz del estudio hecho por Villaurrutia
—el primer estudio serio y comprensivo de la poesía de
López Velarde, y todavía el fundamental—, no se quiso
ver en él más que a otro atormentado, un Baudelaire mexicano, a cuya obra capital, "La suave patria", le fue negado su legítimo valor. Ultimamente, la crítica ha visto en
el poeta jerezano lo que fue de manera tan auténtica: un
hombre profundamente religioso, atormentado por los deseos de la carne, pero que, en el fondo, nunca dejó de ser
un mexicano de provincia.

La tónica predominante en su poesía, es una antítesis
que encarna en una serie de dualidades: el sentimiento religioso y el pecado de la carne; el amor y el deseo; la provincia y la ciudad. Típico es, en verdad, el hecho de que
López Velarde colaborase con Madero en la formulación del
Plan de San Luis, pero sin intervenir de manera activa en
la Revolución. En sus poemas confesó su íntima desesperación al ver acribillados los muros de sus amadas ciudades
provincianas. Desengañado en lo íntimo de su ser, López
Velarde volvió a la patria, no sólo en *La sangre devota*
sino en toda su obra. Sin poseer la preparación cultural del
Ateneo y sin tener estrecho contacto con los que lo in-
tegraron, a semejanza de éste mismo, López Velarde se sintió impulsado, según las palabras de José Luis Martínez,
hacia el "...conocimiento y valoración de lo nacional..."
Todo ello no fue muy consciente que digamos en los comienzos, pero la última poesía suya que alcanzó a ver im-
presa, "La suave patria", estaba destinada por innúmeras
razones a comenzar una nueva etapa en su obra.

El amor de López Velarde se cifra en dos mujeres:
Fuensanta y Sara. Fuensanta —Josefa de los Ríos— es la
novia, inmaculada, la inspiradora de los poemas prístinos.
Sara, "...blonda Sara, uva en sazón...", es la pecadora

que le acosa continuamente. Con frecuencia se confunden ambos rasgos —"Mi prima Agueda", con ser prima hermana de Fuensanta, no deja de inspirarle al poeta adolescente el hormigueo del deseo—, pero casi siempre López Velarde hizo un distingo cuidadoso. La razón que influyera en la voluntad del poeta y que le llevara a considerarse como "...un fracaso de confesor y médico..." no se conoce; si conociésemos las razones de su constante interés por la virginidad y su obstinada negación a casarse, quizá nos ayudara al íntegro entendimiento del poeta.

La técnica fundamental de López Velarde, es la de la asociación libre; en vez de desarrollar una imagen, parte del punto X para dejar que la imaginación vuele libremente hasta llegar, por un proceso de magia poética, al punto Y, fin del poema. Este proceso le suministró libertad para perfeccionar el rasgo más notable de su técnica: el adjetivo. Se ha estudiado a fondo la adjetivación de López Velarde; pero cuanto podemos decir aquí es que vió, oyó y olió de una manera nueva y conmovedora. Famosos son ya los ejemplos del "camino rubí" y la "música cintura"; Arturo Rivas Sáinz, que es quien más a fondo ha estudiado la materia, ha encontrado millares como éstos.

Otro rasgo importante es el empleo de metáforas para las que recurre al lenguaje de la liturgia cristiana. Al hablar de los besos de la amada, los llama "...viáticos del sanguinario fruto...". A sí mismo se califica de "...un paño de ánimas goteado de cera...".

En este empleo de metáforas religiosas, se ha querido ver la influencia de Baudelaire; más aun, se ha llegado al grado de ver en el poeta mexicano a un satánico, celebrando misas negras. Consideramos tal interpretación completamente errónea. A decir verdad, el poeta jerezano fue un católico sincero y fiel; nada más natural, pues, que haya empleado palabras y expresiones privativas del lenguaje religioso para manifestar lo más íntimo de sus sentimientos.

Poetas que sí parece influyeron en el desarrollo poético de López Velarde son Lugones y Herrera y Reissig. De éste aprendió mucho de lo que más tarde le ayudaría a expresar un problema parecido; Noyola Vázquez ha señalado varias fuentes de expresión erótica en términos religiosos en la obra del uruguayo. De Lugones, aprendió el mexicano tanto la magia del adjetivo, como la importancia de la ironía y del contraste. No creemos mermar en lo más mínimo la gloria del bardo jerezano al señalar las influencias probables; nunca podrá concluirse por ello que la obra de arte se reduzca a la simple suma de las influencias. Es el artista que ve las cosas como por un prisma, sumándolas de una manera distinta.

LECTURAS: "La suave patria", "Mi prima Agueda", "Hoy como nunca", "A Sara", "El mendigo", "Hormigas", "Te honro en el espanto", "El son del corazón", "Nuestras vidas son péndulos", "Me estás vedada tú".

CRÍTICA: *Poesías completas y el minutero*. Edic. y pról. de Antonio Castro Leal. México, Edit. Porrúa, 1953. *Ramón López Velarde: Poesías, cartas, documentos e iconografía*. Pról. y recopilación de Elena Molina Ortega. México, Imp. Universitaria, 1952. *Ramón López Velarde: Estudio biográfico*, Elena Molina Ortega. México, Imp. Universitaria, 1952. *El concepto de la zozobra*, Arturo Rivas Sainz. Guadalajara, Jal., Edit. Eos, 1944. *La redondez de la creación*, Arturo Rivas Sainz. México, Edit. Jus, 1951. "Ramón López Velarde: Su poesía". En: *Textos y pretextos*, Xavier Villaurrutia. México, La Casa de España en México, 1940, págs. 9-36. *El Hijo Pródigo*. Vol. XVI, núm. 39 (junio 1946). Número dedicado a López Velarde. *México en el arte*, núm. 7 (primavera 1949). Número dedicado a López Velarde.

B. LOS POETAS DEL ATENEO

Como se ha dicho ya, el Ateneo no fue propiamente un movimiento literario. Bajo la inspiración del erudito y humanista dominicano Pedro Henríquez Ureña, llevó a cabo una revaloración de la cultura mexicana, cuya importancia no puede exagerarse. Sus propósitos quedan expuestos en el siguiente párrafo de José Luis Martínez:

"El mensaje espiritual del Ateneo de la Juventud... contenía un amplio repertorio de intereses destacados y un

firme propósito moral. Aquellos pueden resumirse como sigue: interés por el conocimiento y estudio de la cultura mexicana, en primer término; interés por las literaturas española e inglesa y por la cultura clásica —además de la francesa ya atendida desde el romanticismo—; interés por los nuevos métodos críticos para el examen de las obras literarias y filosóficas; interés por el pensamiento universal que podía mostrarnos la propia medida y calidad de nuestro espíritu; interés por la integración de la disciplina cultivada, en el cuadro general de las disciplinas del espíritu. El propósito moral... fue el de emprender toda labor cultural con una austeridad que pudo haber faltado a la generación inmediata anterior. Los nuevos escritores no se confiaron ya a las virtudes naturales de su genio ni se entregaron, seguros de su gloria, a los placeres de la bohemia..."
Los ateneístas son humanistas y eruditos que han dado tanto una buena lección de integridad, como de la necesidad de formarse intelectualmente. Lección ésta, que los Contemporáneos, sin ser discípulos del Ateneo, aprovecharon.

Tres son los nombres ilustres en la poética ateneísta: Reyes, González Martínez y Urbina. De estos dos últimos ya se ha hablado; su formación y desarrollo, especialmente en el caso de Urbina, pertenecen al período anterior. González Martínez, modernista en los primeros años, simbolista después, colaboró tanto en el Ateneo como en toda otra empresa cultural, a lo largo de una vida de rectitud, devoción y nobleza. Por razones cronológicas, se le ha tratado en el capítulo anterior.

De *ALFONSO REYES (1889) no se puede decir otra cosa sino que es el ateneísta por excelencia. Su vida ha sido una larga búsqueda del saber. Poeta, humanista, crítico y filólogo, escribe de todo con gracia y sinceridad humanas. Su producción poética incluye desde un parnasismo bucólico —de vida brevísima— hasta la *Ifigenia cruel*, visión nueva del mito clásico.

Su eclecticismo hace casi imposible el intento de clasificar la obra de Reyes. En algunos poemas —suelen ser de los mejores—, maneja con gracia y soltura los antiguos metros: "Romances del Río de Enero"; en otros, como en el magnífico "El hombre triste", hace gala de un estilo que pertenece por completo al siglo xx. Tanto "El descastado", como "El hombre triste", son cabales ejemplos de la irónica desesperación, que es uno de los rasgos más característicos de la poesía contemporánea. Y no obstante su helenismo y su larga estancia en otros países, es también el poeta de "Yerbas del Tarahumara", tan mexicano en su conocimiento de la naturaleza, en su discreción y simpatía. Y si esto no bastara queda *Visión de Anáhuac,* que, a pesar de estar escrita en prosa, es auténtica poesía.

En su obra, subraya Alfonso Reyes la importancia del humorismo. Para él, la poesía es una manera de vivir: tanto la risa como la lágrima son motivos de inspiración poética. A esta manera suya de expresión pertenece su *Homero en Cuernavaca;* sonetos serio-cómicos inspirados en la relectura de la *Ilíada.* Si algo puede reprochársele a la poesía de Reyes, es que a veces degenera en pensamiento rimado. Se ha dicho que las dos primordiales influencias en su obra, son la de Góngora, en la precisión del lenguaje, y la de Mallarmé, en el empleo de la alusión y la invocación de la música lejana. No nos extraña, pues, que la quintaesencia se evapore de vez en cuando; no muy a menudo, por fortuna. Así le debemos no sólo un ejemplo de rectitud, sino también poemas tan magistrales como "La visitación" o la "Tonada del acero de la mañana".

LECTURAS: "Romances del Río de Enero", "El hombre triste", "El descastado", "Yerbas del Tarahumara", "La visitación", "Tonada del acero de la mañana", "Salambona".

CRÍTICA: *Obra poética.* México, Fondo de Cultura Económica, 1952. "Invitación a la poesía de Alfonso Reyes". Francisco Giner de los Ríos. *Cuadernos Americanos,* México. vol. XLII, núm. 6 (noviembre-diciembre 1948), págs. 252-265. "Alfonso Reyes o la conciencia del oficio". Eduardo González Lanuza. *Cuadernos Americanos,* México, vol. LXXX, núm. 2 (marzo-abril 1955), págs. 267-

282. "Apuntes sobre la poesía de Alfonso Reyes". Manuel Lerín. *Cuadernos Americanos*, México, vol. LXXXI, núm. 3 (mayo-junio 1955), págs. 212-226. Manuel Olguín. *Alfonso Reyes ensayista, (Vida y pensamiento)*. Colección Studium Nº 11. México, 1956.

El Ateneo nunca tuvo lo que podríamos llamar una poética o teoría de la creación estética de escuela; así, al par del helenismo ecléctico de Reyes —quien, por otra parte, se ha mantenido, a través de los años, poeta plenamente actual—, encontramos a modernistas rezagados como López o Argüelles Bringas, y a un modernista de índole tan particular como González Martínez. Asimismo, nos encontramos con el neorromanticismo de Urbina o de MANUEL DE LA PARRA (1878-1930). Este fue un día poeta de gran fama; aquel "alado son de flauta" que Cravioto le alabó, parece ahora haber descendido en su vuelo. En su obra se distinguen dos rasgos: el neorromanticismo a la manera de Urbina o Icaza, lleno de suspirillos y nostalgias, y un simbolismo evocador, poesía de lejanos misterios desaparecidos desde hace siglos. Entre sus mejores poemas figuran "La cisterna" y "Amor antiguo"; este último nos hace pensar en Verlaine o en Rubén Darío. Otra manera, completamente opuesta, es la de LUIS CASTILLO LEDÓN (1879-1944), y MARTÍN GÓMEZ PALACIO (1893). Historiador y crítico, Castillo Ledón publicó un libro de versos de juventud. Intimidad melancólica e irónica es la suya; algo ha apreciado de la poesía sencilla de Coppée, algo también de la ironía de Jules Laforgue. El novelista Gómez Palacio también nos ha dejado un volumen, en el que nos recuerda la adjetivación de López Velarde. En "Calle nombre de Flor", emplea una estructura perfeccionada por el jerezano en poemas como "Mi prima Agueda", aunque bien pudo haberla aprendido en Herrera y Reissig. Retrata las cosas sencillas:

Una rapaza mustia de anémico color...

Dentro de esta escuela, la poesía de Gómez Palacio demues-

tra el intento de sorprender a base de la imagen; no siempre alejado del clisé, su intento tiene a veces éxito con-
siderable.

Aliado quizá de esta poesía de las cosas sencillas, fue
el colonialismo, tan cultivado allá por 1917. Demos gracias que talentos como el de Estrada o algunos otros no se
hayan dedicado por completo a este aspecto. El único autor mexicano de poesía colonialista fue ALFONSO CRA-
VIOTO (1883). Este destacado prosista fue autor de *El
alma nueva de las cosas viejas:* una serie de estampas históricas, muy detalladas y aferradas a lo exterior. En su afán
de poetizar la historia, escribió algunos cuadros pequeños
de menor atractivo; cuando buscó la poesía civil, cayó en
una retórica hueca. Otro crítico y prosista que ensayó la
poesía es EDUARDO COLÍN (1880-1945). Su escasa obra
sólo a ratos se deshace de una retórica inoportuna no siempre exenta de la jardinería vetusta de un modernismo ya
gastado. La inspiración de JOAQUÍN MÉNDEZ RIVAS
(1888), por otra parte, es más clásica que modernista. Ni
la religiosidad de algunos versos, ni el rotundo vigor de
otros, vencen una íntima falta de inspiración lírica. Finalmente, entre los poetas del Ateneo, hay que nombrar a JU-
LIO TORRI (1889), aunque en rigor nunca publicó versos. Algunos de sus ensayos, denominados poemas por él
mismo, tienen la emoción irónica y delicada de la poesía.

C. CONTEMPORÁNEOS DEL ATENEO

Mientras los ateneístas seguían su labor cultural, hubo
varios grupos y algunos poetas aislados a quienes es me
nester citar aquí. Su obra es de extrema variedad; abarca desde poesía religiosa hasta un "maldito" rezagado a lo
Verlaine. La veta más abundante fue la poesía de la provincia; los poetas de este grupo siguieron las huellas de un
mal comprendido López Velarde. Además, ya hemos visto que Campos y Rosado Vega, cada uno en su estilo, se

interesaron por la provincia y su gente. En Lagos de Moreno, Estado de Jalisco, dos poetas se dedicaron a retratar el ambiente en que vivían. Uno de ellos, ANTONIO MORENO Y OVIEDO (1862-1949), no es de gran importancia, pero a FRANCISCO GONZÁLEZ LEÓN (1862-1945) se le considera uno de los más destacados poetas de esta tendencia. Su libro más importante es *Campanas de la tarde* (1922), aunque ya desde comienzos del siglo venía publicando sus versos. El mismo López Velarde señaló la originalidad sensorial de este poeta del rincón nativo. En "Sor María Coleta", González León evoca todo un ambiente mediante las impresiones de los sentidos. Aunque en su obra predominen la fe y la sencillez tristes y polvorientas, no falta alguna mueca de ironía desesperada: "Cuartetos".

Entre los mejores cultivadores de este género está ENRIQUE FERNÁNDEZ LEDESMA (1888-1939), coterráneo y amigo de López Velarde. Fue la suya una provincia de recuerdos, de nostalgia y lejanías, una provincia sentimental de tonos apagados. Típico es el poema "Dime si falta alguna", donde al sentimentalismo va unida una manera natural, un tanto pueblerina. En la poesía de ALFREDO ORTIZ VIDALES (1895), hay una modulación severa, más desolada; en vez de ponerse a recordar la provincia y una juventud lejana, Ortiz Vidales vaga por la noche provinciana sintiendo algo

> así como ese vacío sin llanto
> que nos sobrecoge al hacer un viaje...
> ("Las calles: VII")

En la obra de MANUEL MARTÍNEZ VALADEZ (1893-1935), la poesía de provincia deriva hacia la plasticidad, hacia el retrato: "María la de ojos negros". A veces, cierta sencillez sentimental cobra vigor cuando brota la ironía, como en "Símil". Otros miembros de esta tendencia a quienes debemos nombrar son JESÚS ZAVALA (1892), el destacado especialista de la vida y obra de Othón; SEVERO AMADOR, cuya obra deja entrever un eco de Prieto; y ANTONIO MÉDIZ BOLIO (1884). En este poeta, dejando a un lado *Mater admirabilis,* que escribió a raíz de la "Fiesta del día de la madre", lo provinciano se vuelve más regionalista. Es decir, ya no es *la* provincia sino *su* provincia; lo invade la tristeza indígena; recuerda las leyendas de los mayas. Ultimamente se ha consagrado devotamente a esta tendencia.

Entre los mejores en cuanto a técnica figura FRANCISCO GONZÁLEZ GUERRERO (1887), discípulo de Rafael López y el más destacado de los poetas de la revista *Nosotros.* Severamente equilibrada, su obra logró una ceñida estructuración. Su único libro, *Ad altare Dei,* se publicó en 1930; en él sobresale el impecable poema "Cita", de elevado contenido emocional y espiritual.

Sigue la vieja vena romántica JOSÉ DE JESÚS NÚÑEZ Y DOMÍNGUEZ (1887), crítico y gerente de *Revista de Revistas* cuando a López Velarde se le brindó la acogida que tanto le hacía falta. Sus dos temas predilectos son la mujer —enumeración constante de nombres femeninos— y la vida humilde. Aunque trató de captar la nueva expresión, no logró más que reemplazar la retórica por el prosaísmo. Completamente opuesto es el caso de MIGUEL OTHÓN ROBLEDO (1895-1922), de quien dijo Núñez y Domínguez que fue poeta "de exterminio y de espanto". En sus pocos poemas, que nunca se reunieron, se ve ahora sólo un "maldito" más, un rufián bohemio y borracho que supo escribir versos suaves. Otros poetas del período que se sitúa entre el Modernismo y los Contemporáneos, son SAMUEL RUIZ CABAÑAS (1886), poeta de eco irónico y delicado, como si al oído le hablase Laforgue; PEDRO REQUENA LEGARRETA (1893-1918), de quien se dice fue una promesa malograda, que quizá, si hubiese sobrevivido, venciera a la facilidad declamatoria, y, por último, JOSÉ D. FRÍAS (1891-1936), tal vez el único innovador de todos los menores. Persiguió la musicalidad y el ritmo; a veces su tentativa se ahogaba en esquemas rigurosos, otras incurría en aplastantes demostraciones de mal gusto, como en "un duro muro oscuro". Sin embargo, hay que reconocer el mérito que le corresponde: ser un incansable buscador de lo más expresivo. Finalmente, ALFONSO JUNCO (1896), poeta militante y ensayista de criterio estrecho; para algunos críticos representa un renacimiento del casticismo en la poesía y en la fe. Como méritos suyos, señalemos el empleo de un lenguaje y ritmo populares en la expresión religiosa. Como defectos, la costumbre de preferir corear el "Soneto a Cristo crucificado", a ejercer el don de la palabra que acabamos de mencionar, y también el abuso de los ritmos interiores. La obra de Junco tiene sus altibajos, sin que nunca llegue a ser más que una poesía medianamente interesante.

D. LOS "CONTEMPORÁNEOS"

Después de este período algo confuso, surgió una de las promociones poéticas más importantes del siglo xx: los Contemporáneos. Productos de un íntimo deseo de conocer la literatura contemporánea de otros países, y de poner la poesía mexicana al tanto de lo que pasaba en la poesía mundial, los Contemporáneos fueron casi todos autodidactas. Buscaron sus maestros en los grandes poetas del mundo. Era menester obrar de tal manera, puesto que los mexicanos ilustres poco podían ayudarles; los del Ateneo, en su mayoría, se hallaban fuera del país. González Martínez, como ya se ha dicho, pudo tener imitadores que no discípulos. Los dos mexicanos que en verdad tuvieron importancia, fueron Tablada y López Velarde. Aquél fue un vivo paradigma para que los jóvenes de entonces buscasen por doquiera lo que les pudiese servir de modelo o ayuda. Este les enseñó lo que es ser mexicano y, además, poeta de la zozobra. Tablada fue un modelo en lo formal. López Velarde, en lo interno. Se ha discutido mucho si los miembros de este grupo formaron o no una verdadera unidad; Jorge Cuesta, uno de sus integrantes, ha negado rotundamente tal unidad al subrayar las diversas perspectivas de los varios miembros. Pero no es este el momento para revivir tal cuestión que, a fin de cuentas, no tiene vigencia. Los Contemporáneos sí formaron una unidad; colaboraron en algunas de las mejores revistas literarias que ha conocido el país; éstas, por sí solas, dieron nueva vida a la poesía mexicana, que oscilaba peligrosamente sobre el vacío. Si después han demostrado una diversidad de intereses, si su objetivo se ha ido orientando de maneras diversas, ello no obsta que un día hayan sido el grupo literario más potente; el grupo que más poetas de categoría ha forjado.

A pesar de todo esto, a veces algunos críticos para quienes es más importante vestir sombrero grande y poncho que ser verdadero poeta, han censurado a los Contemporáneos. Si tales críticos hubiesen puesto los ojos en las aportaciones de este grupo, particularmente en lo que atañe a su afán de hacer participar a su país en las últimas corrientes intelectuales, mucha tinta se hubiera ahorrado. La contribución de los Contemporáneos, dejando aparte el valor estético de la poesía misma, consistió en introducir en México "las analogías de Nerval, las correspondencias de Baudelaire, la libertad de espíritu de Blake", como ha asentado Octavio Paz. Curiosidad universal y rigor literario, éstos son los rasgos que hacen de este grupo una unidad dentro de lo que Cuesta ha llamado certeramente sus varias soledades.

El más viejo del grupo, si se pasa por alto a Estrada, es el tabasqueño * CARLOS PELLICER (1899). Poesía plástica la suya, impresionista, sensual; dentro del grupo es el más cercano al Modernismo en su ideal plástico, aunque su innato buen gusto lo salvó de un Modernismo hueco, para convertirlo en violento descubridor de ritmos e imágenes. Lejos de ser un cuadro sin movimiento, su obra refleja lo que Cuesta llamó un "goce completo de los sentidos". Pellicer es, sobre todo, un poeta alegre aun cuando escribe del amor desolado, porque participa de la embriaguez de los colores del trópico. Dentro de la tradición poética mexicana, Pellicer no está muy lejos del deslumbramiento colorista de Balbuena.

"Apoteosis salvaje de los sentidos" ha llamado Torres Bodet a la poesía de su viejo amigo; Pellicer mismo lo dijo de otra manera:

> Aquí no suceden cosas
> de mayor trascendencia que las rosas.
> ("Un pueblecito de los Andes".)

Su fundamental orientación plástica está reflejada en el título como "Estudio". En muchos poemas se limita a pintar, sin perseguir un tema "trascendental", y crea versos de extraordinaria belleza, como en "Grupo de palomas", pero tiene cierta tendencia hacia la pregunta y hacia la expresión de la soledad. Ya en *Hora de Junio* (1937) escribió:

> Sólo al callarme escucho cerca de mí las voces
> del universo.
> ("La voz".)

Este poema simboliza la lucha del poeta:

> Grita y la soledad le responde con alto
> eco de soledad.

por hacerse parte del todo. A partir de este momento de su obra, Pellicer deriva cada vez más hacia una expresión religiosa, amorosa. En "Deseos", publicado en *Seis, siete poemas* (1924), se había quejado de estar condenado a servir de "...Ayudante de Campo del Sol!"; últimamente, pero sin apartarse jamás de su expresión personal, busca otra distinta, la que ahora necesita.

Los últimos libros de Pellicer son *Recinto* (1941), *Subordinaciones* (1948) y *Sonetos* (1950). El primero es, quizá, lo mejor de todo lo que ha escrito; además de "Recinto" mismo, uno de los más sentidos poemas de amor que conocemos, contiene el "Romance de Tilantongo", donde el poeta recuerda con orgullo su tierra y su sangre:

> Yo que de Tabasco vengo,
> con golpes de sangre maya...

Enumerar los poemas de primer orden sería imposible: sólo queremos mencionar uno de los predilectos, "Presencia", con sus "...brisas que llevan oculta su S...". Los "Cuatro cantos a mi tierra" es lo mejor de *Subordinaciones,* donde el poeta subraya uno de sus símbolos más usados:

> Agua de Tabasco vengo
> y agua de Tabasco voy...

Los *Sonetos,* extrañamente, empiezan a tratar un tema común en la obra de otros del grupo, pero poco usado en la de Pellicer: la muerte. Preocupado por ella y por la búsqueda de Dios, todavía no ha perfeccionado la expresión de este nuevo tema. Lo mejor de su obra todavía es un "árbol de caoba que camina" como dijo él mismo. Siempre se le recordará como el que escribió:

> ¡Los ojos! Por los ojos el Bien y el Mal nos llegan.
> La luz del alma en ellos nos da luces que ciegan.
> Ojos que nada ven, almas que nada entregan.

LECTURAS: "Uu pueblecito de los Andes", "Estudios", "Grupo de palomas", "La voz", "Deseos", "Recinto", "Romance de Tilantongo", "Presencia", "Cuatro cantos a mi tierra".

CRÍTICA: "La literatura de vanguardia". José Luis Martínez. *Literatura mexicana siglo XX.* Parte primera, págs. 31-32. "Poetas postmodernistas mexicanos". Luis Monguió. *Revista Hispánica Moderna*, New York-Buenos Aires, vol. XII, núm. 3-4 (julio-octubre 1946), págs. 239-266.

Tabasqueño también es *JOSÉ GOROSTIZA (1901); como Pellicer, es menos vanguardista que los otros, aunque el tradicionalismo poético de Gorostiza está orientado hacia la tradición española. Sólo ha publicado dos libros durante una vida dedicada al servicio diplomático y a funciones políticas. El primero, *Canciones para cantar en las barcas* (1925), se remonta al siglo XVI y al Góngora de expresión popular; dentro de un ambiente marino —menos tropical y más inclinado al dibujo que el de su coterráneo Pellicer— y construídos con un impecable sentido de la forma contenida y diáfana, destacan los "Dibujos sobre un puerto", con imágenes como "El faro":

Rubio pastor de barcas pescadoras.

El sentido popular se patentiza en "Pescador de luna"; es cuerpo y alma del mejor poema del libro, "¿Quién me compra una naranja?"

Después de un largo interludio cuyos poemas no se han publicado aún, apareció "Muerte sin fin" (1939), poema metafísico de penetrante y sobria lucidez. Gorostiza concibe la existencia como materia a la que la inteligencia da forma; pero es esta una forma engañosa. La inteligencia puede imaginarse, pero no crear. Es la forma, es Dios, pero "...la forma en sí misma no se cumple...". Lo único cierto es la muerte, la "...muerte sin fin de una obstinada muerte...". Frente a esta desesperante verdad, el poeta opta por una actitud estoicamente hedonista.

Lo anterior no es más que reducción somera de la obra maestra de uno de los más extraordinarios talentos de que puede jactarse el país. "Muerte sin fin" cae directamente dentro de la estela del "Primero sueño" de Sor Juana y de las "Soledades" de Góngora, si se piensa en su extremada elaboración. Es de la familia del "Cementerio marino" de Valéry o de la obra de Eliot, en la expresión de esta angustia desesperada de la inteligencia que es herencia de nuestro tiempo.

LECTURAS: "Pescador de luna", "¿Quién me compra una naranja?", "Muerte sin fin".

CRÍTICA: *Muerte sin fin.* Comentario de Octavio Paz. México, Imprenta Universitaria, 1952. "Poetas postmodernistas mexicanos". Luis Monguió. *Revista Hispánica Moderna,* New York-Buenos Aires, vol. XII. núm. 3-4 (julio-octubre 1946), págs. 239-266.

Larga carrera diplomática es la de *JAIME TORRES BODET (1902); en la actualidad es embajador de México en Francia. En el aspecto literario, es opuesto a Gorostiza. Sus libros son una constante búsqueda de la expresión propia. Conocedor de las letras españolas, éstas influyeron en la sencillez lírica de su obra prístina. Más tarde, indagó en otras literaturas, especialmente en la francesa; su alma se torna más amargada. En *Los días* (1923), Torres Bodet empieza a encontrar una expresión muy suya, muy íntima, de una emoción universal; la deshumanización del individuo. Este tema viste ropa variada con el transcurso de los años, pero, en el fondo, siempre contiene ese sentimiento de pérdida irrevocable.

Quizá la mejor expresión de este problema antes de *Cripta* la encontramos en "Ruptura", de *Poemas* (1924). En un lenguaje casi cotidiano, Torres Bodet manifiesta la pérdida que le angustia; es uno de los poemas más conmovedores en el género de lo que rápidamente se hizo casi tradición, partiendo de Laforgue y pasando por Eliot en su "Prufrock". Pero no contento con ello, en *Destierro* (1930) el poeta bucea en el laberinto onírico del surrealismo. Más aguda es esa triste soledad de siempre. Siete años después, publicó *Cripta.* En este libro ha purificado su expresión después del necesario ensayo de *Destierro.* Ahora el poeta crea nuevamente su lenguaje. Entre los poemas de este libro que merecen citarse —y saberse de memoria— están "Dicha", con su visión de un mundo de nocturna prosa recorrida por un "corrector de pruebas sin sentido"; y "Abril",

> . . . automático abril
> de un año descompuesto.

Durante doce años, Torres Bodet no volvió a publicar un libro de poesías, hasta que compuso los *Sonetos*. En este libro escribe sobre la tragedia que a todos nos amenaza: la muerte. Con los nervios y los sentimientos agudizados por la tragedia personal, alcanza un estoicismo austero pero emocionado, un lenguaje más formal, con algo de la habilidad del Quevedo que supo escribir los sonetos. Lo mejor del libro es el poema en sonetos "Continuidad", donde la expresión madura hace universal la pérdida, mediante la desnudez condensada de los versos.

En su último libro, *Fronteras* (1954), Torres Bodet sigue la vena íntima de la desolación personal ante la muerte y los años. Menos macizo que en la desnudez de piedra de "Continuidad", su lenguaje se manifiesta más en sordina, más resignado: así es en los cuatro poemas, "Primavera", "Estío", "Otoño", "Invierno". Todo el libro está impregnado de un sentido humano, de un sentimiento de solidaridad ante el misterio de la existencia: tal ocurre en "Ser", "Solidaridad", "Civilización". Sigue el poeta su línea de constante evolución, demostrando cada vez más su dominio de los más variados metros, y su fundamental vocación de poeta.

LECTURAS: "Música oculta", "Canción de las voces serenas", "Ruptura", "Reloj", "Abril", "Continuidad", "Ser".

CRÍTICA: "La literatura de vanguardia". José Luis Martínez. *Literatura mexicana siglo XX*. Parte primera, págs. 34-35. "Poetas postmodernistas mexicanos". Luis Monguió. *Revista Hispánica Moderna*, New York-Buenos Aires, vol. XII, núm. 3-4 (julio-octubre, 1946), págs. 239-266.

Uno de los más interesantes de este grupo es *SALVA-DOR NOVO (1904), fundador con Villaurrutia de la revista *Ulises* (1927-1928). En su madurez, Novo se ha dedicado al ensayo y al teatro. De él hay que mencionar su *Nueva grandeza mexicana*, en la que un mexicano sirve de guía por la ciudad a un amigo forastero; es éste un libro lleno de agudeza y amor a México; además de sus obras de teatro adaptó para la escena el *Quijote* y *Astucia*, de Inclán; actualmente escribe unas intencionadas crónicas periodísticas y perfecciona su técnica teatral en La Capilla, su teatro particular.

Cuando joven, Novo escribió una serie de relatos: *Return ticket, El joven, Lota de loco, Jalisco-Michoacán;* fue autor además de varios volúmenes de poesía: *XX poemas* (1925); *Espejo* (1933); *Nuevo amor* 1933); *Seamen* (1945), poema de ocasión; y una segunda edición de *Nuevo amor* (1948). Últimamente ha publicado bajo el título *Poesía*, una selección de sus obras. Es de lamentar que no haya querido seguir el camino de la poesía, porque Novo figura en la primera fila.

Su obra es personalísima; aun el humorismo y la ironía, que a veces se transforman en sarcasmo, no le despojan de ese tono íntimo que se detiene antes de llegar al confesonario, pero no antes de dejar ver la profunda desolación del poeta. En *XX poemas*, "El mar" es una protesta en contra de la Edad de la Máquina; "Diluvio" es una de las máximas expresiones del sentimiento de deshumanización que llena la vida contemporánea. El poeta emplea una mezcla de ácida ironía y llaneza coloquial reminiscente de Eliot.

Poeta de la emoción, le es necesario este disfraz irónico; cuando de él se despoja, se le ve la desnuda y angustiada cara; difícilmente evita caer en el sentimentalismo. Difícilmente, pero lo logra, porque, después de todo, Novo es poeta.

Se ha clausurado mi Sala de Baile
mi corazón no tiene ya la música de todas las playas
de hoy más tendrá el silencio de todos los siglos.

Espejo es un conjunto de poemas en los que el poeta
revive episodios de juventud. Vacila entre el humorismo
de "Epifania", la confesión de "La escuela", la desolación de "El amigo ido", la negación a la insinceridad estética
de "La poesía". Aunque en este libro aparecen algunos versos que lo consagrarían como poeta de primera categoría,
su mejor logro es *Nuevo amor*. Junto al naufragio espiritual que arde en "Nuevo amor", canto de la desesperación
completa e irrevocable, hay "Junto a tu cuerpo" o "Breve
romance de ausencia", de una delicadeza emocionada. Pero
la mayor gloria de Novo es "Elegía", honda expresión de
la soledad increíble del hombre que se siente perdido en un
mundo que no le pertenece. En la línea de la irónica expresión del dolor contemporáneo, contamos entre los primeros:

Los que tenemos unas manos que no nos pertenecen...
Los que vestimos cuerpos como trajes envejecidos...

LECTURAS: "Diluvio", "El amigo ido", "La poesía", "Nuevo
amor", "Breve romance de ausencia", "Elegía".

CRÍTICA: "Tres poetas mexicanos". Arturo Torres-Ríoseco. *Revista Iberoamericana*, México, vol. I, núm. I (mayo 1939), págs.
83-89.

La poesía de *XAVIER VILLAURRUTIA (1904-1950)
es la historia de una muerte. Sin sospechar acaso que en
cualquier momento pudiera morirse del mal cardíaco que
lo mató, persiguió la actitud personal que le permitiese evitar la locura o el nihilismo. Tal actitud la halló no en la
aceptación de la muerte, sino en su búsqueda, en su corte-
jo. Para él no fue la Parca inexorable sino la amante es-
perada.

El primer libro de su breve pero rigurosa producción

poética fue *Reflejos* (1926), aunque ya anteriormente habían aparecido en la antología *Ocho poetas* (1923), varios de sus primeros poemas. Los temas apenas esbozados
de estos versos se encuentran más desarrollados en *Reflejos:*
la melancolía de un retrato, la nostalgia de una casa vieja... Los poemas de *Reflejos* son casi todos eso, "reflejos", imágenes de la vida circundante inspiradas en la boga del jaikai. Muchos no son más que reflejos objetivos,
fieles o retorcidos; en otros, se nota una nostalgia casi
amarga que más tarde será la angustia devastada de *Nostalgia de la muerte.* De estas primeras tentativas señalemos
"Suite del insomnio", cuyos ocho poemas breves son re-
producciones de lo que atormenta al poeta durante la vigilia: "Eco", "Silbatos", etc.

Nostalgia de la muerte apareció en edición definitiva
en 1946; el poeta ha evolucionado hacia la expresión personalísima de una tormenta personal. Acosado por la muerte y analizando en un constante proceso intelectualista su
situación desesperante, crea un mundo de espejos en los
cuales no ve sino a sí mismo; no oye más que su propia
voz. Incapaz de derribar los muros de la personalidad, incapaz de comunicación, el poeta escribe los atormentados
nocturnos: "Nocturno miedo", donde se pregunta si no será
la realidad una mentira, si no será él mismo un sueño, un
cuerpo cualquiera; "Nocturno en que nada se oye", donde
la voz va cayendo entre unas paredes de espejos que no le
permiten ver el mundo.

El otro aspecto de su poesía, es su intriga con la muerte. Muy lejos de ser esta la Parca temida, es la amante; en
la atmósfera fría de la razón intensificada, se verifica el
drama de "Décima muerte", uno de los mejores poemas
de la moderna poesía mexicana. Su estilo conceptista, heredado de Sor Juana, y sus metáforas inesperadas, apren-
didas de López Velarde, se armonizan, a la manera casi
surrealista del pintor Chirico, para producir, cuando por el
genio de Villaurrutia los reflejos dan forma a su drama, unos versos extraordinarios donde campea una agonía

lúcida. Tan lúcida es que cuando la muerte, como mujer que es, tarda en llegar, el poeta puede jactarse de manera muy mexicana:

> En vano amenazas, Muerte...
> ....,
> si en vista de tu tardanza
> para llenar mi esperanza
> no hay hora en que yo no muera!

En 1948 publicó Villaurrutia *Canto a la primavera*, libro que había de señalar un cambio de orientación poética. Al mundo agonizante de atormentados sueños siguió el de la pasión amorosa torturada. Aunque aparecen ahí unos breves poemas como "Epitafios", y otro más extenso, "Nuestro amor", poema de primera categoría, el libro no alcanza el rango de *Nostalgia de la muerte*. Si bien Villaurrutia murió antes de escribir el libro que fuese expresión cabal de este nuevo rumbo, afortunadamente vivió lo bastante para demostrar en "Décimas de nuestro amor" que no había extraviado su inspiración en una técnica increíblemente acabada. La mujer de este último poema no es ninguna muerte, aunque el poeta la canta con las mismas palabras de desesperación.

Además de poeta, Villaurrutia fue un destacado crítico —su estudio de López Velarde es fundamental en este aspecto— y dramaturgo. Es autor de *Invitación a la muerte*, inspirada en *Hamlet* pero auténticamente mexicana y de un alto valor teatral; *El yerro candente* y otras obras. Su teatro, como sus poemas, manifiesta una personalidad ávida de conocer los recónditos secretos del ser.

En la poética de Villaurrutia hay reflejos de las conquistas del surrealismo. El sueño, como manifestación de la personalidad, tuvo importantes resonancias en el creador de los "Nocturnos"; sin embargo, su mundo es el de la vigilia superlúcida.

LECTURAS: "Nocturno miedo", "Nocturno en que nada se oye", "Décima muerte", "Nuestro amor", "Décimas de nuestro amor".

CRÍTICA: *Poesía y teatro completos.* Pról. de Alí Chumacero. México, Fondo de Cultura Económica, 1953. "La poesía de Xavier Villaurrutia". Frank Dauster. *Revista Iberoamericana*, México, vol. XVIII, núm. 36 (septiembre 1953), págs. 345-359.

En la obra de *BERNARDO ORTIZ DE MONTELLA-NO (1899-1949) encontramos el surrealismo en pleno vigor. Después del momento en que dominaron las estelas de González Martínez y Nervo, escribió *El trompo de siete colores* (1925); en este libro, alternan la poesía infantil, una tristeza irónica ("En realidad apenas tengo edad para ser triste...": *Lección*) y el juego casi popular. *Red* (1928), es un volumen de poemas en prosa, donde advertimos un interés creciente por los sueños. Al someterse el poeta a la anestesia, fue el sueño el tema dominante de su obra. *Sueños* (1933) encaja plenamente en esta corriente; el poeta ensaya el surrealismo. El mismo nos explica su actitud en el *Diario de mis sueños:* "...una vez más confirmo que en los sueños como en la poesía —estados psíquicos afines, imágenes de una realidad esencial— pueden anticiparse sucesos por venir."

Ahora bien. El surrealismo viene a ser esto mismo: la creencia en el parentesco de la poesía y el sueño. Vendrían a ser algo como estados mínimamente diferenciados: de ahí el automatismo, punto cardinal del credo surrealista; de ahí también el fanatismo freudiano. Pronto se plantea el problema de orientación; la literatura se convierte en psicoanálisis. Se escribe crítica literaria que, a fin de cuentas, no es más que dudoso psicoanálisis; a Nerval, Bécquer, Novalis y demás románticos, en cuya obra —y vida— se inspira este movimiento, se les ha convertido en casos. Ortiz de Montellano habla bien claro sobre todo esto: "No me interesa la explicación psicoanalítica de este sueño... me interesa, sobre todo, la disposición de sus imágenes, su color y sus formas." Los *Sueños* (1933) fueron escritos bajo la bandera surrealista; más aún, sin limitarse al sueño, el poeta entra de lleno en la investigación de la anestesia, con resultados desiguales. Alcanza a veces imágenes de sumo poder poético; en otras, cae en un automatismo revelador de sueños incomprensibles hasta con la ayuda del *Diario de mis sueños,* especie de comentario. Ortiz de Montellano parece oscilar entre la actitud puramente estética y otra que se asemeja a la psicología; se interesa por las posibilidades de predecir en los sueños lo que está por venir, etcétera. Sin negar el interés ni el valor de todo esto, repetimos que no es poesía.

En *Muerte de cielo azul* (1937), Ortiz de Montellano estudió más a fondo la muerte y la anestesia, pero siempre desde un punto de vista estético; se aprovechó del surrealismo, pero sin dejarse llevar por él. El libro es un intento para plasmar, para definir el carácter efímero de la experiencia, de la idea; en una palabra: de la existencia. Más tarde, busca algo que revivifique una vida moribunda; opta paradójicamente por el sueño. Convencido de la naturaleza gris de la vida, en "Himno a Hipnos" pide que el sueño venga a salpicar con color la nada de la existencia.

En algunos poemas reunidos por primera vez en *Sueño y poesía* (1952), manifiesta el poeta un cambio de orientación; su ávido interés por las posibilidades expresivas del sueño ha sido reemplazado por una agonía personal. Todavía es poesía onírica la suya, pero se le han añadido los elementos de la duda y la muerte, duda tanto religiosa como estética. En los "Desnudos" se percibe un eco de Mallarmé, y el lector piensa en la esterilidad del cisne mallarmeano atrapado en un hielo emocional; de aquí la forma sin pasión de estos últimos poemas. Con ello no queremos decir que al poeta le faltase pasión, sino que parece no haber logrado aumentar el esfuerzo poético al tiempo que crecía el problema personal.

Sería injusto hablar de Ortiz de Montellano sin tratar su otro aspecto: el indigenismo. Además de los numerosos arreglos de poesía indígena, escribió poemas como "Martes de carnaval", que se llama también "Areíto" y está basado en ritmos indígenas; lo más interesante de su producción en tal aspecto son *El sombrerón* y *La cabeza de Salomé*, dos obras teatrales en un acto, donde la técnica más avanzada se une a una verdadera comprensión de los mitos indígenas.

LECTURAS: "Himno a Hipnos", "Desnudos", "Martes de Carnaval", "Muerte de cielo azul".

CRÍTICA: *Sueño y poesía*. Nota preliminar de Wilberto Cantón. México, Imp. Universitaria, 1952. "La obra de Bernardo Ortiz de Montellano". J. M. González de Mendoza. *Cuadernos Americanos*, México, vol. XLVI, núm. 4 (agosto-septiembre, 1949), págs. 262-274.

A GILBERTO OWEN (1905-1952), tantos años ausente de México, sólo hasta ahora se le empieza a considerar como el legítimo poeta que fue. Es la suya una poesía de juegos, de alusiones e imágenes inesperadas; empezó bajo la influencia de Juan Ramón Jiménez, pero sus conocimientos de las literaturas francesa e inglesa lo han llevado a asimilar algunas actitudes de Eliot y Mallarmé. En *Desvelo* (1925), que no llegó a publicarse hasta después de muerto el poeta, se ve el interés por la imagen; "Definiciones" no es más que imagen pura, mientras "Regreso" y algunos más demuestran la lectura del Juan Ramón de la emoción evocadora y la línea pura, que tanto influyó en el desarrollo de la poesía moderna. En *Línea* (1930) sigue el camino del poema en prosa. Mucho tiene de juego, mucho también de asociación pura de ideas.

La mejor obra de Owen es *Perseo vencido* (1948). En él patentiza un rasgo que años antes había sido la causa de que Owen se llamara a sí mismo la conciencia teológica de los Contemporáneos: una visión cosmológica desesperada, que consideró al tiempo como la única fuerza permanente. Todo lo existente está condenado a perderse en el tiempo; aun Dios se halla bajo su dominio. El hombre es un Perseo que ha fracasado en su intento de vencer al tiem-

po; es un "Sinbad el varado", irremisiblemente naufragado.
Aun su fe sincera no pudo rescatarlo; su ángel de la guar-
da "...se duerme borracho mientras allí a la vuelta ma-
tan a su pupilo...". No hay salida ni esperanza; como el
mundo de Eliot, que termina en un gemido, el mundo de
Owen espera la nada.

> Tal vez mañana el sol en mis ojos sin nadie,
> tal vez mañana el sol,
> tal vez mañana,
> tal vez.

Entre los mejores versos de Owen están los eróticos; hasta la desesperación de "Sinbad el varado" incluye unos de
ellos magistrales. El "Día cinco, Virgin Islands" es la memoria de una vida acosada por la sensualidad; entre las
alusiones que lo componen, destaca la última que proporciona, quizá, el momento más sorprendente de toda su obra.
Grave omisión sería pasar inadvertidas los dos últimos versos de "Celos y muerte de Booz", culminación del "Libro
de Ruth". Después del erotismo —podríamos decir, sin
par— de "Booz ve dormir a Ruth", acaba el idilio; no hay
más remedio.

> Ya me voy con mi muerte de música a otra parte.
> Ya no me vivo en ti. Mi noche es alta y mía.

Poeta que no tuvo la oportunidad de desarrollar hasta
el límite su intención fue ENRIQUE GONZÁLEZ ROJO
(1899-1939), hijo de González Martínez. Suyo fue el camino de la inteligencia; alcanzó la depuración técnica, como
se aprecia en "Gracia de la fuente", donde una imagen queda desarrollada lenta y perfectamente; "Mar bajo la luna"
es ejemplo cabal de la lucidez con que manejaba el misterio de la poesía. Utilizó con igual maestría los metros tradicionales y el verso libre. El punto débil de su obra es,
paradójicamente, la falta de tono apasionado que dé vida

a sus versos. La serenidad de sus poemas deja un sabor entre artificioso y superficial. Sin querer impugnar la sinceridad artística del poeta, hallamos que sus versos no tienen vida, como si más tuvieran de ejercicio poético que del modo de ser que es la poesía.

La poesía de JORGE CUESTA (1903-1942), como la vida a la cual puso fin, es el documento de un insatisfecho, de un hombre cuya fina y cruel inteligencia lo llevó a un extremo inalcanzable en la búsqueda de la perfección. Absoluta supresión de las emociones: he ahí su meta; he ahí también la fuerza y la debilidad de su obra. Al lado de su "Canto a un dios mineral", de un gran vigor intelectual, se encuentran poemas que, por trabajados, aparecen un tanto desgarbados. Además de poeta fue crítico; su *Antología de la poesía mexicana moderna* (1928), responde a un deseo laudable de difundir la poesía de los Contemporáneos.

Menos conocido como poeta que los anteriores es OCTAVIO G. BARREDA (1897), ilustre traductor, excelente crítico y fundador de algunas revistas de capital importancia, tales como *Letras de México* y *El Hijo Pródigo*; no obstante, es autor de unos *Sonetos a la Virgen* (1937), en un estilo conceptista, que son entre místicos y sacrílegos.

Aunque en la cronología GENARO ESTRADA (1887-1936) está entre el Ateneo y los Contemporáneos, lo incluimos con éstos por haber sido un importante acicate para el grupo. De él ha dicho Alfonso Reyes que fue "...uno de esos hombres centrales que hacen posible la organización de las pléyades literarias...". Entre su obra figura una valiosa antología de *Poetas nuevos de México* (1916), y la novela *Pero Galín*; su obra poética es de vanguardia, comprende cuatro volúmenes: *Crucero* (1928), *Escalera* (1929), *Paso a nivel* (1933) y *Senderillos a ras* (1934). Es la suya una poesía de verde mar y luna desnuda; en su último libro alcanzó cierto espíritu popular en el verso octosilábico. En esta manera, Estrada había comprendido el valor del paisaje; su poesía es como un canto de amor a los caminos que palpan sus pies:

como si toda la vida
yo te hubiese recorrido.

Difiere bastante esta manera del vanguardismo de *Crucero*; el prosaísmo que afea algunas de las bellezas del libro posterior, se manifestó en el anterior en un rehacer los temas del momento, sin aportar gran cosa. Como muchos otros que poseían indudable don de poetas, creía que ser poeta siglo XX quería decir escribir lo más enrevesado posible. Gracias a la providencia especial que protege a los poetas logró "Esperanza", que vale por todo un libro.

Producto de la revista *Bandera de Provincias*, de Guadalajara, fue ALFONSO GUTIÉRREZ HERMOSILLO (1905-1935), quien pronto se afilió al grupo de *Contemporáneos*. Sus cuatro libros publicados antes de su temprana muerte, revelan una progresión hacia un concepto militante, religioso, cuando no exactamente místico, de la poesía. Lo mejor de su producción poética es la conmovedora austeridad de "Carta a un amigo difunto", meditación íntima ante el problema de la inmortalidad. Otro miembro del grupo de *Bandera* afiliado más tarde a *Contemporáneos*, es EMMANUEL PALACIOS (1906), cuyo único libro, *Vida a muerte* (1937), nos lo muestra como poeta de estilo culto pero no reacio al metro popular, acaso bajo el influjo de García Lorca.

En la poesía de ENRIQUE ASÚNSOLO (1901), se aprecia una expresión ceñida, restringida, aprendida quizá en Góngora, puesto que no es ajeno ni a la plasticidad ni a la expresión conceptista. Tocante a este último modo, ha sido citada como su antecedente la Décima Musa, Sor Juana.

ELÍAS NANDINO (1903), sin pertenecer del todo a este grupo, se acerca a él tanto por su estilo como por el contenido de sus poemas. Su poesía es la historia de un verdadero atormentado, de un hombre cuyo íntimo deseo de creer encuentra obstáculos en todas partes. Unido a esta desesperación de índole religiosa se halla un erotismo torturado, moralmente insatisfecho. Desde la temprana "Canción del indolor" hasta las "Décimas desnudas" (1948), su obra retrata esa lucha constante. En estas últimas, alcanza cierta paz baudeleireana:

> Pero... por sendas carnales
> y por pecados mortales,
> también se conquista el cielo.

Una vez que ha hallado su verdad, se encara con ella y la vive como puede. Pudo, igualmente, encontrar al fin una fe que resistiera a todas las dudas: "Naufragio de la duda" (1950) narra como

> A solas quedo con el Infinito,
> en la terrible soledad del grito
> que rasga el cielo sin que nadie acuda;
>
> y en los instantes de pavor, asoma
> la fe de mi niñez, como el aroma
> de un ángel de jazmines que me escuda.

La poesía de Nandino ha derivado cada vez más y más hacia una expresión condensada; el soneto y, últimamente, la décima son sus formas predilectas. La única influencia visible en su poesía es la de Villaurrutia, que va quedando atrás según el poeta va purificando su propia expresión; por otra parte, Nandino siempre ha seguido su propio sendero y, siguiéndolo, ha producido versos como estos finales de "Naufragio de la duda":

> ...pero en el fondo de mi propia vida,
> con el hueco de mi voz enmudecida,
> converso a solas con el Dios que niego.

E. LOS ESTRIDENTISTAS Y POETAS MENORES

Poco antes de la organización del grupo de *Contemporáneos,* se había formado un cenáculo agrupado alrededor de las revistas *Horizonte* e *Irradiador;* vino a llamarse el grupo "estridentista". Los principios estéticos de los estridentistas nunca recibieron articulación formal; sin embargo, en la obra de sus miembros se ve la filiación europea. Se asemeja al futurismo italiano, escuela dedicada a cantar la estética de la máquina y la belleza de la velocidad; este grupo está emparentado, asimismo, con el ultraísmo español y el dadaísmo francés, movimientos todos dedicados a barrer el clima poético de la retórica acumulada y a crear una estética nueva. Como los demás, el estridentismo duró poco; el dadaísmo terminó en automatismos estériles, el futurismo y el estridentismo en pura politiquería. Más importaba el que fuese política que el que fuese poesía; en breves años, el movimiento dejó de existir como tal.

La producción poética estridentista es de escaso valor; con todo, el movimiento mismo fue, según ha dicho Octavio Paz, "una necesaria explosión". Introdujo en México algunas corrientes vanguardistas —la poesía social, el violento humorismo iconoclasta, etc.— que no interesaron a los Contemporáneos. Intentaron derrocar a todos los ídolos y, si ahora nos parece excesivo el celo, hay que confesar que, entre los blancos a que apuntaban, se contaron algunos que merecieron tal tentativa. La violencia del movimiento pasó como el huracán, dejando una remoción saludable del aire poético.

Entre los estridentistas figuraron Arqueles Vela, Germán List Arzubide, autor de *El movimiento estridentista,* Luis Quintanilla, Salvador Gallardo, y los artistas Ramón Alva de la Canal, Leopoldo Méndez y el escultor Germán Cueto. El único importante como poeta fue su adalid, MANUEL MAPLES ARCE (1898). Concibe el poema como definición de una realidad cambiante. "El poema es una

imagen análoga a nuestro propio latir: una suprema unidad tejida de relaciones inmateriales, de afinidades secre-
tas, de búsquedas difíciles..., de cifras y súbitas percepciones..." Su poesía responde a esta intención sólo en
parte; a veces se pierde por los caminos de la política o
de la misma regresión romántica a la cual fulminaba. De
modo que, en su obra, encontramos imágenes violentas:
(...esta nueva belleza, sudorosa del siglo...) mezcladas
con la orientación política de *Urbe* (1924), su "superpoe-
ma bolchevique"; también se cuenta el neorromanticismo
de "los matorrales del silencio" y "la palidez enferma de la
superamada". El humorismo feroz de Maples Arce, es el fondo del estridentismo; pero por "super" que sea la amada,
resulta ser la criatura enfermiza y paliducha de siempre.
Después de los primeros libros —*Rag* (1920), *Urbe, An-
damios interiores* (1924), *Poemas interdictos* (1927)—, se
alejó de la poesía, para volver a ella en 1947 con su *Memo-
rial de la sangre*. Más calmado ya, pero con la aguda imagen
de siempre, Maples Arce sigue cavando en el palpitar del ser.

Entre las resonancias de Federico García Lorca que lle-
naron la poesía en lengua española hace veinte años, se levanta solitaria, podría decirse, la figura de MIGUEL N.
LIRA (1905). Poeta auténtico, no pierde el tiempo escribiendo fáciles romances anémicos; prefiere ahondar en la
poesía popular de su pueblo: el corrido. Entre su copiosa
producción están los mejores poemas de sabor popular escritos en México durante el siglo xx; no falta quien afirme
que son superiores a los de Prieto y su séquito. En el "Corrido de Domingo Arenas" (1932), tragedia mexicana de la
Revolución, emplea el lenguaje popular; el resultado es
extrañamente conmovedor. "México-Pregón" (1938), reproduce el grito callejero de la ciudad bulliciosa; el "Corrido del marinerito", más delicado, es una fantasía poética cantada en corrido. La poesía culta de Lira no deja de
hacernos sentir el poder de su vuelo lírico, nostálgico, desolado, como ocurre en "Carta de Amor", pero cuando más nos

conmueve el canto de Lira es cuando trata de dar significado universal al grito y a la lágrima de su pueblo.

Al tanto de las corrientes de última hora está RODOLFO USIGLI (1905), considerado como el más destacado dramaturgo mexicano del siglo, autor de *Corona de sombra* y otras excelentes obras de teatro. El único volumen de su escasa obra poética es *Conversación desesperada* (1938). Sitúase dentro del movimiento encabezado por Novo y Owen, del que buscaba inspiración en la poesía de lengua inglesa y, en particular, en la obra de T.S. Eliot. En el poema "Conversación desesperada", se despoja de ese tono quizá demasiado cercano a la singular ironía de Eliot para forjarse su propia manera, un tanto coloquial pero fiel a la poesía: conversación desesperada entre la mujer y el poeta atormentado por los deseos insepultos y el anhelo del amor perfecto.

Irónico también, es RENATO LEDUC (1897), pero en él la ironía es de índole distinta: más sentimental, más sarcástica. Romántico en el fondo, Leduc expresa mediante la burla el impulso vital en versos desesperadamente satánicos que muestran coincidencias con Neruda.

No encuentra nada sagrado; todo sirve de materia a su mordaz ironía. No le es ajeno el erotismo; en los poemas de *Breve glosa al libro de buen amor* resuena deliberadamente el tono sardónico del Arcipreste de Hita. En "Invocación a la Virgen de Guadalupe y a una señorita del mismo nombre: Guadalupe" el tono populachero une a la guadalupana los encantos de la chata mexicana.

Frecuentemente, Leduc investiga el poder evocador de la palabra o respalda el contenido del poema con la variedad rítmica; en "Ruidos", la unidad hexasilábica subraya la monotonía de las noches en las que suenan el amor o la muerte que no son más que un camión que pasa. La debilidad en la poesía de Leduc está en que a menudo degenera en mero coplero malicioso; la fuerza, en su habilidad para hacernos sentir su canto de amor a la vida, canta desentonado por la desilusión.

Romántica asimismo es la poesía de LEOPOLDO RAMOS (1898); nostálgica, hecha de memorias cantadas en sordina. Si a veces resuena cierta retórica rotunda de pasadas épocas, a la reverencia y rectitud humanas de "Aria de los caminos viejos" y "Unidad en ella", une una sencillez límpida, sencillez que honrara a Urbina o Icaza, maestros en el mismo género.

Muy otra es la poesía de EFRÉN HERNÁNDEZ (1903). Se ha distanciado de lo espectacular para crear una poesía de raíz clásica. A pesar de que en ella apreciamos una intimidad azorada y cándida, da la impresión de estar esculpida en mármol. Es una poesía arquitectónica, maciza. Nutrido en los clásicos, Hernández ha cultivado una expresión arcaica que da voz duradera al anhelo de creer y a la creciente amargura de ya no poder más. Incomunicado dentro de la propia necesidad de alcanzar la fe, logra el amor que lo salvará de la muerte "entre apagados muros", mismo título de su excelente libro.

Entre los poetas de este período interesa DANIEL CASTAÑEDA (1898) por la multiplicidad de su estro. Lo mismo estudia y practica el corrido como traduce a Verlaine y a Baudelaire y se deja influir por ellos. Se ha interesado asimismo por las posibilidades expresivas de la música en la poesía; sus corridos están destinados a cantarse, mientras su poesía culta se basa en una teoría compleja sobre el ritmo y la asonancia que le imprimen cierta cualidad musical.

El romanticismo asoma nuevamente en la obra de SOLÓN ZABRE (1904); poesía funeral de gritos y de muerte, consigue alguna vez, como en "Elegía funeral" o "Elegía difunta", purificar el poema del tremebundo clamor, para llorar la tragedia de la "múltiple soledad acongojada" de la noche.

Durante este período, ENRIQUE CARNIADO (1903) cultiva la poesía infantil. Empezó a escribir poesía bajo la influencia de López Velarde; en "Canicas" recuerda la provincia; en este período, se muestra entre creyente y descreído. Más tarde escribe *Alma párvula;* sin que, a nuestro juicio, merezca los grandes elogios que ha recibido. Con todo, este libro es uno de los mejores en un género difícil de manejar.

El más destacado de los poetas de provincia en este período es GASTÓN DE VILAC (1896), seudónimo del chiapaneco Ernesto Parres. Entre la turba de poetas y poetastros que siguen cantando en y a la provincia, se distingue por la sencillez y la sinceridad emocionadas. Es la suya una poesía realista, de todos los días; en sus versos se aprecia el vigor del elemento rural y social.

A decir verdad, hay multitud de dedicados a la poesía social; la mayoría de ellos no tienen más mérito para llamarse poetas que el que tiene todo propagandista que sepa rimar dos consonantes. México ha sido más afortunado en el terreno de la novela social que en la poesía de dicha tendencia. Entre los poetas que merecen citarse aquí, están CARLOS GUTIÉRREZ CRUZ, MIGUEL MARTÍNEZ RENDÓN y JOSÉ MUÑOZ COTA. Gutiérrez Cruz (1897-1930) empezó como cantor ordinario de sentimentalismos vulgares; después optó por el aspecto de la revolución, sin que el concepto utilitario de la belleza, expuesto en "Primavera" o "La fuente inútil", apagara por completo la belleza de sus versos. A veces, la resonancia popular unida a una furia casi incoherente, produce un poema digno de conocerse —"Los bueyes"—, aunque la mayor parte de su obra no se aleja del grito inflamatorio. Martínez Rendón (1891) une a la tristeza desencantada, romántica, la protesta en contra de la vida. Muñoz Cota es poeta de lenguaje cotidiano, autor de corridos y cantor del peón y del soldado revolucionario: "Muerte de Torres Burgos", "Señales".

México se encuentra en el caso raro de no tener poesía indigenista. Esta paradoja en realidad no es más que aparente; cuando en el país casi todo el mundo tiene sangre india, difícil sería predicar los derechos del indio como grupo minoritario. Lo indígena en la poesía no es de asunto, como se plantea a veces en la novela, sino de ambiente, de atmósfera. Ya hemos señalado remembranzas indígenas en varios poetas: lejanos ecos psicológicos. En otros, lo indígena está íntimamente unido a la memoria de la tierra: Médiz Bolio, Lira y muchos más. Acaso el más notable indigenista sea CLEMENTE LÓPEZ TRUJILLO (1905); su poesía nos muestra el alma "de las amargas, de las dulces cosas mayas" en una nostalgia de gran ternura, en un deseo de volver a ver el venado, símbolo de su tierra. Pero aun en este poeta, lo indígena no es totalmente lo primitivo. En algunos poemas hierve la vitalidad tropical, en otros canta el amor vital y duradero, permanente, que no encuentra más expresión que la eterna:

Te amo, yo te amo, y no es posible
decir ya más si sabes que te amo.
(Te amo en tres palabras)

F. *TALLER*

El grupo más importante después de los Contemporáneos, es el que se reunió alrededor de revistas como *Taller poético* (1936-1938) y *Taller* (1938-1941). Según Octavio Paz, uno de sus miembros, se distingue de los anteriores por "...nuestra repugnancia por lo literario y nuestra búsqueda de la palabra original, por oposición a la palabra personal...". Considérase el poema como acto o afirmación vital y no sólo como objeto o ejercicio de expresión; acaso injustamente, atribuyeron esta última actitud a los Contemporáneos. En todo caso, la poesía del grupo *Taller* está orientada hacia la sociedad, hacia el hombre como participante en una realidad social. Intentaron cambiar al hombre, para lo cual era necesario, también, cambiar a la sociedad. Poesía social, quizá, pero siempre orientada hacia el hombre y no a la propaganda.

Otro aspecto de su obra es, podríamos llamarlo, espiritual. En ellos influyeron los románticos soñadores y sus pesquisas en la esencia de la realidad: Novalis, Blake, Rimbaud y, en la técnica, hasta cierto punto, los superrealistas. Estos, con los poetas españoles Cernuda, Aleixandre, Larrea, Alberti, y el chileno Neruda, son las influencias que pesarían sobre una generación lista para recibirlas. Dijo Paz, "...Amor, Poesía y Revolución eran tres sinónimos ardientes."

El de superior rango poético es *OCTAVIO PAZ (1914). Después de sus primeros libros que actualmente ya no considera suyos, ha venido madurando una de las más originales visiones de la existencia en la lírica moderna. Esencialmente romántico, se encuentra solitario, perdido en una noche aterradora. Prendido a la experiencia personal y buscando cómo transmutarla en experiencia total, se afana por cómo destilar una gota de la inocencia perdida desde hace miles de siglos.

No hay propiamente un desarrollo de su obra poética; desde *Bajo tu clara sombra* (1937) hasta *Semillas para un himno* (1954), pasando por *Raíz del hombre* (1937), *Entre la piedra y la flor* (1941), *A la orilla del mundo* (1942) y *Libertad bajo palabra* (1949), no hay cambio fundamental. La conciencia de la soledad, la existencia desgarrada y desolada, el amor como lo más fundamental, éstos son los temas. Lo que cambia es el poema; la poesía de Paz, nunca cae en lo ripioso. Sin abandonar la posición que ha escogido, torna a cantarla siempre, y siempre, en imágenes y palabras nuevas, vitales.

Los dos aspectos del amor pueden apreciarse en "Primavera a la vista" y "Cuerpo a la vista". Aquél es un canto de amor a la tierra; éste es erotismo puro, descripción amorosa de la fuente de la inmortalidad.

El problema de la soledad perpetua encuentra expresión en "El muro", donde el camino de la memoria que conduce al amor está cerrado por el muro de la soledad. La pesadilla de la existencia es el tema constante de *Puerta condenada,* penúltima sección de *Libertad bajo palabra:* el eterno círculo de la angustia perseguida lo es de "La calle"; el nihilismo, de "Cuarto de hotel"; la visión final, de "Elegía interrumpida":

> Es un desierto circular el mundo,
> el cielo está cerrado y el infierno vacío.

La última parte es "Himno entre ruinas", un solo poema que quizá sea lo mejor que haya escrito Paz hasta ahora. Entre las ruinas del mundo el poeta contempla la vida, y se hace la eterna pregunta:

> ¿Y todo ha de parar en este chapoteo de aguas muertas?

Pero en él palpita aún la esperanza y puede afirmar que no, que la palabra puede todavía ayudar a encontrar la libertad, en las "...palabras que son flores que son frutos que son actos".

Además de poeta de primera categoría, es Octavio Paz autor de *¿Aguila o sol?* (1951), volumen de fragmentos en prosa, subjetivos, casi superrealistas. Busca aún la palabra que le pertenezca; "Encuentro" es el relato de un hombre que ve a otro, su semejante, usurparle la vida. Y surge la pregunta, la que obsesiona al poeta: "¿y si no fuera él, sino yo...?". Otro de sus libros es *El laberinto de la soledad* (1950), investigación de la personalidad del mexicano; libro de capital importancia para el estudio de la cultura de México.

LECTURAS: "Primavera a la vista", "Cuerpo a la vista", "El muro", "La calle", "Cuarto de hotel", "Elegía interrumpida", "Himno entre ruinas".

CRÍTICA: "Los frutos de una generación". José Luis Martínez. *Literatura mexicana siglo XX*. Primera parte. Págs. 181-183. "Poeta en libertad". Rodolfo Usigli. *Cuadernos americanos*, México, vol. XLIX, núm. 1 (enero-febrero 1950), págs. 293-300.

El único miembro de *Taller* influído por Villaurrutia, es NEFTALÍ BELTRÁN (1916); en la edición definitiva de *Soledad enemiga* (1949), se aprecia la introspección ante la muerte tan típica de Villaurrutia, pero más acalorada, menos fríamente intelectual. Técnico hábil, se salva de la facilidad por su sinceridad; nada hay de artificioso en poemas como "Carta a María Lara", la madre muerta, o "Donde quiera que voy". Tan condenado está a la soledad, que aun la fatalidad le es casual.

EFRAÍN HUERTA (1914) es de los que se dejaron llevar por la propaganda rimada. *Poemas de guerra y esperanza* (1943) está compuesto de poesía izquierdista, poesía de ocasión para Lídice y Stalingrado. Tiene el mérito de la sinceridad indignada y del ardor de la cólera, pero tiene la culpa de no ser libro poético. Ultimamente ha vuelto a los temas más poéticos de *Los hombres del alba* (1944) en *La rosa primitiva* (1950). Aun cuando no escriba de política, la nota tónica de Huerta es la cólera, el amor irascible; como alguien ha dicho, la "ternura desolada". Canta un vibrante y adolorido amor a su ciudad y a los hombres que allí viven, los hombres del alba.

La poesía de ALBERTO QUINTERO ALVAREZ (1914-1944) es absolutamente consciente. El retorno a los orígenes estudiado en Rimbaud y otros poetas videntes, y en Neruda, halla su expresión en una obra de lucidez emotiva, si no siempre de palabra lúcida. Después de su intento de eternizar la experiencia religiosa, Quintero Alvarez optó por una angustiada línea amorosa. En los *Nuevos cantares*

(1942) incluye tanto la resonancia subjetiva inducida por lo externo —"La bailarina"— como la confidencia íntima del que cree encontrar la verdad en el amor —"Estación de espera", "La sangre"—. Muerto sin haber perfeccionado la expresión y semejante su pensamiento al de Paz —en lo que atañe al poder redentor del amor—, no alcanzó aquél a despojar su poema de cierto eco nerudiano que, sin opacarlo del todo, a veces lo nubla levemente.

Fundador de *Taller* fue RAFAEL SOLANA (1915), poeta, novelista, dramaturgo y crítico. Si en su libro *Los sonetos* (1937), se incluye un poema como "Cerrad la luz", no siempre consiguió —ni en el mismo poema citado— vencer la facilidad sentimental. En *Los espejos falsarios* (1944) triunfa sobre este narcisismo; ya no se fía tanto de los espejos de la poesía. Incesantemente, lucha con el tiempo; incesantemente lo atormenta la falta de sentido de la propia existencia. Estos temas alcanzan expresión de alta calidad en las variaciones que publicó más tarde como *Cinco veces el mismo soneto* (1948), ya incluídas en *Los espejos falsarios*.

VICENTE MAGDALENO (1912) es autor de una poesía puramente intelectual, perfectamente razonada. Autor de cuatro libros —*Soledad de piedra* (1934), *Atardecer sin lirios* (1938), *Sueños como obsidiana* (1952) y *La ociosa* (1954)—, busca el significado de la existencia en poemas difíciles por su misma índole intelectual, tales como: "Noche ritual", donde se identifica con un mundo que asciende eternamente hacia la perfección, aun entre el sufrimiento.

Dos poetas menores son OCTAVIO NOVARO (1910) y RAMÓN GALGUERA NOVEROLA (1914). Comparte Novaro las preocupaciones de la mayoría del grupo de *Taller:* el amor, siendo las potencias esenciales sus temas predilectos. Buscando la grandeza, logra la efusión que se redime en sus mejores poemas —"Por el hijo nonato"— gracias a la sinceridad. Galguera Noverola, tiene algo del mismo espíritu tropical de Pellicer, pero vertido en el molde de la desesperación. El fatalismo pesimista de "Destino" y "Unos hombres" es típico de su único libro, *Examen de primer grado* (1951), retrato de un mundo nocturno de puerto, mundo fantasmal de puñaladas y muelles amenazadores.

G. El GRUPO DE *TIERRA NUEVA*

El único grupo posterior al de *Taller* que ha dado un poeta acabado, es el que se reunió en torno a la revista *Tierra Nueva* (1940-1942). Este grupo busca el equilibrio "...entre la tradición y la modernidad, entre el entusiasmo iconoclasta de la juventud y la aceptación de un rigor en la formación literaria", según palabras de José Luis Martínez. Al lado de MANUEL CALVILLO (1918) y WILBERTO CANTÓN (1923), están ALÍ CHUMACERO y JORGE GONZÁLEZ DURÁN, ambos nacidos en 1918. Chumacero ha sido llamado el mejor poeta post-*Taller*, y con sobrada razón. *Páramo de sueños* (1944) e *Imágenes desterradas* (1948), demuestran una lúcida disciplina de forma y contenido. Es poeta que pertenece a la tradición angustiada de Villaurrutia. También canta el amor en el inolvidable "Poema de amorosa raíz", pero es éste un *Amor entre ruinas,* título de esta sección de *Páramo de sueños.* Siempre torna a la muerte; "De cuerpo presente", pretende la futura ausencia del alma en el sosiego final. Es poeta de la desolación poeta es de

> la desolada tierra de mi carne,
> donde la libertad del hombre es sombra
> y los muertos entierran a sus muertos.
> (Imagen de una voz)

González Durán es poeta de la soledad. Menos fríamente lúcido, su obra es más lírica, más aérea que la de Chumacero. La suya es una "voz contenida en el silencio"; la única salida de la soledad está en el amor. En "La oración del hombre", último poema de su único libro, *Ante el polvo y la muerte* (1945), el poeta da validez universal a lo que ha sido puramente subjetivo.

H. LA POESÍA FEMENINA

Dos son las orientaciones más destacadas de la moderna poesía femenina en México: las preocupaciones modernas unidas a cierto interés por la herencia indígena, y el amor divino. Es esta última la más cultivada: por extraño que parezca, actualmente no hay poetisa de importancia que cultive la poesía amorosa. Se han formado varios grupos; uno es el neorromántico, encabezado por Margarita Michelena y Rosario Castellanos; otro, es el de la revista *Rueca;* se ha hablado asimismo de la generación de 1918, compuesta por Michelena, Guadalupe Amor y Emma Godoy. Quedan otras más o menos aisladas.

La mejor poetisa fue CONCHA URQUIZA (1910-1945); nutrida en los clásicos y en la Biblia, alcanzó auténtica expresión personal. Impulsada por las opuestas olas de la angustia y la esperanza, creó una poesía en la que el erotismo y el ansia mística no siempre logran diferenciarse. Típico, y excelente, es "Job", poema erótico a lo divino.

En la obra de CARMEN TOSCANO (1910), se encuentra la sencillez sutil de la ternura desilusionada. Poetisa del amor infeliz, su lírica se distingue por la voz menuda y pura.

También sigue la línea religiosa EMMA GODOY (1918), en *Pausa y arena* (1948). Emplea la técnica y el vocabulario moderno en una poesía anhelante de Dios. La poetisa que más interés ha despertado durante los últimos años es GUADALUPE AMOR (1920); únense en su obra la angustia moderna ante la desolación espiritual, y el ansia de llegar a Dios. Es el suyo un mundo enlutado bajo el polvo; la expresión estricta, clásica, se hermana con la frialdad cerebral del conceptismo. Después de varios libros de calidad desigual, en sus poemas más recientes ha logrado cierta pureza: "Ven disfrazado de amor", "Hoy Dios llegó a visitarme".

MARGARITA MICHELENA (1917), después de haber cultivado la poesía abstracta, ha puesto los ojos, últimamente, en la provincia. La orientación contemporánea se ve en "La flor vacía", angustiado errar sin brújula; la veta religiosa asoma en la pureza anhelante de "Las puertas de Sión". Quizás el mejor ejemplo de la delicadeza que suele llevar a su creación estética, es "Enigma de la rosa", evocación del eterno misterio de la belleza y de la vida. DOLORES CASTRO (1923) comparte el afán de pureza sencilla; sus temas son, el drama del destino humano y una apasionada fe en la vida.

En la poesía de ROSARIO CASTELLANOS (1925) y MARGARITA PAZ PAREDES (1922), se han destacado elementos telúricos. Aquélla se ha interesado últimamente por la herencia indígena; sin embargo, lo mejor de su obra, hasta ahora, está en esa absoluta desolación que se aprecia en algunos de sus versos. Margarita Paz Paredes se ha vuelto más subjetiva, menos consciente de los sentidos. Interesada por los desvalidos y por la infancia, es la suya una poesía preocupada por la verdad cósmica y la esperanza de redención.

I. LA NOVÍSIMA PROMOCIÓN

Dentro de esta categoría demasiado general, hemos agrupado algunos poetas jóvenes que aún no han producido lo que pudiera considerarse como obra definitiva. Varios de ellos tienen los mismos años de los miembros de *Taller*, pero han venido construyéndose una poética propia que todavía no ha madurado. Otros, como MANUEL PONCE (1913), no pertenecen a ningún grupo fijo. Sin despertar grandes resonancias, se crean un mundo personal de la poesía. El de Ponce es el religioso; aunque suele emplear la técnica moderna, es mejor poeta en la sencillez vigorosa de jaikais "a lo divino", como "La crucifixión". De un muy semejante poder desnudo son "Las vírgenes caídas" y "La canción olvidada en la tierra"; poemas, ambos, en los que Ponce revela haber aprendido el secreto de la sencillez de expresión, unida a la evocación.

RAFAEL DEL RÍO (1915) es el poeta de la exactitud en la expresión, y el otoño y la rosa en los temas; sus poemas son cuadros plásticos. En "Rosa, flor de verdad", indaga en la esencia de la rosa como fenómeno y como símbolo eterno de la belleza y la verdad. MIGUEL BUSTOS CERECEDO (1912) empezó como poeta social; después ha derivado hacia el recato en una poesía hecha de amor y de nostalgia. Elegíaco es JOSÉ CÁRDENAS PEÑA (1918); persiste en hacer uso de símbolos religiosos para cantar el amor humano, especie de poesía a lo divino ensayada desde otro ángulo distinto.

La poesía de la pregunta y la duda ha encontrado valiosos cultivadores. Desde el punto de vista religioso, y dispuesto a ensayar todas las osadías expresivas, MIGUEL CASTRO RUIZ (1920) poetiza sus especulaciones sobre el tiempo y el dolor: "medida del hombre" es aquél; "No enemigo: / dardo del infinito y corazón del tiempo", éste. Como se ve, Castro Ruiz se encuentra camino de una poética propia, despejada del vocabulario convencional de la poesía de raíz religiosa. Partiendo de la misma fe, el joven crítico y poeta JESÚS ARELLANO (1923) escribe la "amarga posesión" del hombre por la fe y la duda; todavía no ha logrado desnudar el poema de elementos que enturbian su significado.

Murió BERNARDO JIMÉNEZ MONTELLANO (1922-1950) antes de poder madurar su obra; no obstante, creó poemas de verdadera inspiración estética dentro de las vetas de una ironía graciosa: "Veo pasar", y del amor: "Retrato de Elena". El verso de RUBÉN BONIFAZ NUÑO (1923) es mucho más disciplinado. Une a la forma estricta la imagen atrevida. Después de escribir poemas menores de ocasión y ejercicio, parece haber encontrado su propio camino en la poesía amorosa. MIGUEL GUARDIA (1924), poeta del desamparo en "Despedida", se muestra desigual en la forma. Gusta de construir el poema a base de una prolongada adivinación estética sobre cuál deba ser el desenlace; la mayoría de las veces escoge bien el remate.

RAMÓN MENDOZA MONTES (1925) tiene la virtud de saber unir las preocupaciones contemporáneas a la búsqueda del significado de las cosas, así como también la de haber encontrado un lenguaje compuesto de símbolos con resonancias de la lengua común. Otro de los jóvenes poetas que más prometen es JAIME SABINES (1926). Es la suya una poesía de vigoroso desafío romántico: "El llanto fracasado", "Así es", "Uno es el hombre".

Todavía a mediados del siglo, la poesía del XVII halla eco en la obra de ROBERTO GUZMÁN ARAUJO (1911). Sin alcanzar gran fama todavía, sigue Guzmán Araujo cultivando una poesía de amor y muerte, en lenguaje puramente tradicional.

JOSÉ LÓPEZ BERMÚDEZ (1910) ha cultivado la poesía amorosa y la social; en poemas como "Dura patria" y "Canto a Cuauhtémoc", se remonta a la raíz ancestral, para lograr la expresión de una realidad social presente y un anhelo social futuro. Cercano a López Bermúdez está HONORATO IGNACIO MAGALONI (1908), el más viejo de los poetas mencionados aquí. Después de muchos años de interrupción, ha vuelto a la poesía, como poeta y como redactor de *Poesía de América*. La obra de Magaloni comparte el interés por lo indígena y su mejoramiento, sin ser propiamente poesía social, sino más bien, civil.

J. LA POESÍA POPULAR

El período de la Revolución señala los comienzos del florecimiento de la poesía popular. En tanto que antes los corridistas y copleros cantaron las proezas de bandidos, toreros y héroes, ahora escriben sobre las hazañas de los líderes guerreros. La mayor parte de esta poesía es anónima; la mejor fuente para su estudio es la excelente recopilación hecha por Vicente T. Mendoza, *Romance y corrido*. Inclúyese en este volumen el más completo estudio que se ha hecho hasta ahora de esta materia. Por otra parte, ha estudiado en *La décima en México*, otra forma de la poesía popular que no se ha destacado tanto como el corrido.

Las características de esta poesía salida del sufrimiento y el gozo del pueblo, se han señalado ya en el capítulo anterior; es como un resumen de las actitudes de la gente. El mexicano es cantador; ya luche, ya se divierta, siempre entona corridos a sus héroes.

El autor de corridos se asemeja, a veces, al juglar medieval; va por esas tierras cantando, y vendiendo sus canciones. Aunque hoy en día ya no suele circular este periódico andante, esta poesía popular presenta todavía tal característica; en corridos se celebran aún los acontecimientos de último momento, desde la Carrera Panamericana hasta la visita del Presidente Truman al Presidente Alemán: *Corrido de Miguel Alemán*, por Eduardo Gámez Orozco.

Los corridos de la Revolución no se detuvieron en cantar sólo a los héroes; tuvieron también una fuerte dosis de contenido social. Este ha sido perpetuado por corridistas de los últimos años; muchos de ellos se han dedicado cada vez más a lo puramente social. Adolece esta dirección del prosaísmo inevitable en la obra de poetas de poco mérito que ensayan imitar el color popular; su obra degenera en propaganda rimada. Pocos son los que han sido lo suficientemente poetas para evitar esta caída.

Del mismo modo que los poetas españoles del siglo xx vieron las posibilidades expresivas del romance, los mexicanos vieron las del corrido. La diferencia estriba en que ya Góngora había domeñado el romance por completo; a García Lorca y otros no les quedó más dificultad que la de encontrar en el lenguaje y en las actitudes del pueblo la materia apropiada para cada cual. En México ocurre todo lo contrario; los poetas anteriores habían escrito romances a millares, pero el corrido se les había escapado. A pesar de las semejanzas entre los dos metros, hay buena cantidad de diferencias; Lira, Castañeda y los demás tuvieron que escoger trabajosamente. Acaso esto explique el porqué el corrido no haya alcanzado todavía pleno desarrollo en poetas cultos.

A pesar de sus realizaciones en esta materia, Miguel N. Lira siempre se detuvo antes de intentar las posibilidades épicas. Su obra es lo mejor que se ha logrado en el género del corrido. Es obra plena de temas y resonancias lingüísticas populares; sin embargo, se ha dedicado al "corrido chico", de poca extensión. Para las posibilidades épicas hay que recurrir a la obra de FRANCISCO CASTILLO NÁJERA (1886-1955) y CELEDONIO SERRANO MARTÍNEZ (1913). Castillo Nájera produjo *El Gavilán*, "corrido grande" en donde ensaya dar significado épico a la Revolución. Fiel a las peculiaridades estructurales del corrido, ha recreado no sólo el personaje "El Gavilán" (Jesús Cienfuegos), sino todo un período, un tipo, un sacudimiento social. La mejor obra de Serrano Martínez es *El Coyote*, corrido del líder revolucionario Nabor Mendoza. Sigue las mismas líneas de *El Gavilán*; quizá logre expresar mejor la esperanza épica por haber muerto Mendoza en la guerra, sin arrastrar una vida de pesadilla y borrachera como lo hizo "El Gavilán". En todo caso, son obras dignas del mayor respeto por ser tentativas para alcanzar la expresión poética del más importante movimiento social mexicano, desde Benito Juárez.

CONCLUSION

Hemos querido trazar, en esta *Breve historia,* el perfil del desarrollo de la poesía mexicana. Empezando con la prehispánica, seguimos su trayectoria a través de los siglos. Como toda manifestación cultural, tiene sus altibajos. Si el siglo XVI es rico en poesía, y si el XVII cuenta con una de las máximas escritoras, no sólo de lengua española, sino de todas las lenguas, Sor Juana, el siglo XVIII y gran parte del XIX, en cambio, nos regalan bastante poco. Pero durante la segunda mitad del siglo pasado, surge una renovación, el Modernismo. Desde aquel momento, México es, y sigue siendo, un centro de la poesía continental.

En las páginas finales, bosquejamos someramente la poesía de los últimos años. Tratar de predecir el futuro no es de la incumbencia del crítico, puesto que lo que ha de escribirse en el futuro todavía nos está vedado. Acerca de la poesía que se ha escrito ya en lo que va del siglo, no creemos que resulte atrevido afirmar que puede codearse con la de cualquier otro país. Desde González Martínez y López Velarde, la poesía mexicana ha gozado de valores de máxima categoría. En la actualidad, se resiente cierto letargo. Los jóvenes poetas prefirieron imitar los modelos acostumbrados a buscar otros nuevos. Con todo, no debe sorprendernos que, después de tan valiosa producción, en un país tan joven, la calidad haya menguado un tanto. Por otra parte, en algunos de estos jóvenes puede apreciarse una fuerza nueva, una a manera de diabólica ironía que promete mucho. El poeta fue, ha sido y será siempre; los que escriben en la hora presente afirman que si un López Velarde no nace todos los días, tampoco es de temer que llegue otro siglo XVIII.

CONSULTAR

Castro Leal, Antonio. *Poesía mexicana moderna*, México, Fondo de Cultura Económica, 1953. Arellano, Jesús. *Poetas jóvenes de México*, México, Biblioteca Mínima Mexicana 23, 1956.

BIOGRAFÍA CRÍTICA SELECTA

Como este volumen está destinado más a estudiantes que a especialistas en la materia, hemos escogido únicamente los estudios que consideramos indispensables. El lector interesado, fácilmente encontrará otras referencias al consultar los que citamos. Figuran en el texto las bibliografías propias a cada capítulo y a cada autor señalado con asterisco; aquí presentamos los que son imprescindibles para el estudio de períodos de gran extensión, además de los que tratan el desarrollo total.

CASTRO LEAL, Antonio, sel. y pról. *Las cien mejores poesías (líricas) mexicanas.* México, Edit. Porrúa, 3ª ed., 1945. Antología muy útil para seguir, en los textos mismos, la trayectoria de la poesía mexicana. El excelente prólogo sigue la misma trayectoria desde el punto de vista crítico.

GONZÁLEZ PEÑA, Carlos. *Historia de la literatura mexicana.* México, Edit. Porrúa, 4ª ed., 1949. Útil para el estudio de poetas importantes; superficial en el estudio de la poesía colonial y la contemporánea.

HENRÍQUEZ UREÑA, Max. *Les influences françaises sur la poésie hispanoaméricaine.* París, Institut des Etudes Américaines, s. f. Estudio somero pero penetrante de este aspecto de la literatura comparada. Más que demostrar, afirma, pero sus afirmaciones son de fiar.

JIMÉNEZ RUEDA, Julio. *Historia de la literatura mexicana.* México, Edic. Botas, 4ª ed., 1946. Estudia a todos los poetas de importancia.

.... *Letras mexicanas en el siglo XIX.* México, Fondo de Cultura Económica, 1944. Excelente estudio de las letras del período de transición entre Colonia e Independencia y los años siguientes. Reúne mucha información dispersa.

MAPLES ARCE, Manuel. *El paisaje en la literatura mexicana.* México, Porrúa Hmnos., 1944. Estudio de este aspecto de la obra de varios poetas; libro valioso pero partidista.

MÉNDEZ PLANCARTE, Alfonso, est., sel. y notas. *Poetas novohispanos (1521-1721).* 3 vols. México, Imprenta Universitaria 1942-1945. Libro fundamental para el estudio de este período Reúne el fruto de su erudición y sus infatigables pesquisas en archivos y colecciones privadas. Imprescindible.

MENDOZA, Vicente T. *El romance español y el corrido mexicano* México, Edic. de la Universidad Nacional Autónoma, 1939. El mejor estudio de la poesía popular mexicana. Incluye un excelente prólogo y una gran cantidad de romances y corridos con variantes.

MENÉNDEZ Y PELAYO, Marcelino. *Historia de la poesía hispanoamericana.* Tomo I. Madrid, Librería de Victoriano Suárez, 1911. Contiene juicios todavía vigentes, a pesar de la falta de poetas de interés. Hay que consultarla con ayuda de algún estudio más reciente, aunque algunos conceptos son fundamentales y se vienen repitiendo en otros libros.

MILLÁN, María del Carmen. *El paisaje en la poesía mexicana.* México, Imprenta Universitaria, 1952. A pesar del título, esta crítica aguda no se restringe al tratamiento del paisaje. Penetra al secreto poético de los grandes poetas anteriores al siglo XX. Fundamental.

PAZ, Octavio. *Anthologie de la poésie méxicaine.* Tr. de Guy Lévis Mano. Présentation de Paul Claudel. París, Les Editions Nagel, 1952. La mejor antología general de la poesía mexicana. Contiene una excelente introducción por el distinguido poeta y crítico mexicano.

PIMENTEL, Francisco. *Historia crítica de la literatura y las ciencias en México... Volumen I: Los poetas.* México, Librería de la Enseñanza, 1885. Se recomienda sólo por lo que tiene de interés histórico. Como crítica literaria está absolutamente falta de sentido. Véase el artículo de José Luis Martínez, *Trivium,* Monterrey, N. L., año II, núm. 1, en esp. págs. 29-32.

TORRES RÍOSECO, Arturo, y WARNER, Ralph E. *Bibliografía de la poesía mexicana.* Cambridge, Mass., Harvard University Press, 1934. Bibliografía importantísima que merece ser puesta al día. El prólogo de Torres Ríoseco resume la trayectoria de la poesía mexicana y emite conceptos sintéticos sobre autores importantes. Excelente.

RBINA, Luis G. *La vida literaria de México. La literatura mexicana durante la Guerra de la Independencia.* Ed. y pról. de Antonio Castro Leal. México, Edit. Porrúa, 1946. Extenso y valioso estudio de la literatura del siglo XIX. Una obra artística en sí, es fundamental para el período de que trata.

ÍNDICE DE POETAS MEXICANOS

A

B

ÍNDICE DE MATERIAS

BREVE HISTORIA DE LA POESÍA
MEXICANA por Frank Dauster, volumen
cuarto de MANUALES STUDIUM, se terminó de imprimir el día 5 de septiembre
de 1956 en la ciudad de México. La edición
estuvo al cuidado de Progreso Alfarache y
Pedro Frank de Andrea. Imprimió B. Costa-
—————— Amic, Mesones, 14. ——————